「天才」の育て方

五嶋 節

講談社現代新書

1890

目　次

第3章　あなたは私の「世界一」

第4章　過保護のどこが悪いのか？

協力／㈱クリスタル・アーツ
㈲シム
構成／玉木正之

「天才」って何?——まえがきにかえて

「天才を育てた母親」と呼ばれて

最初にお断りしておきたいことがあります。

それは、「本を書く」ということ、そして、それを「世に出す」ということに対して、私の心のなかに、まだためらう気持ちがあることです。

私は、ご存じのとおり、ヴァイオリニストの五嶋みどりと五嶋龍という姉弟《きょうだい》の母親として、また、みどりと龍にいちばん最初にヴァイオリンを教えた指導者として、世の中に名前が知られるようになりました。

しかも、みどりは十歳六ヵ月、龍は七歳と九日で、プロのヴァイオリニストとしてデビューし、国際的な舞台で活躍するようにもなったため、いろんな人々やマスコミから「天才」とか「神童」などと呼ばれたりもするようになりました。その結果、私自身も、「天才の母親」とか「神童の母親」といった呼ばれ方をされるようにもなりました。

このように「本を世に出す」機会を与えていただいたり、講演に招いてくださったりするようになったのも、「二人の天才を育てた母親」と見られているから、ということはわかっています。そして、それは、たいへんにありがたいことだとも思っています。

でも、はっきりいって、私はみどりや龍のことを「天才」とか「神童」と思ったことは、ただの一度もありません。ほかのお子さん方とは違う特別な才能があると感じたことも、まったくありません。ましてや「二人の天才を育てた」などと思ったことは、ほんの一瞬たりともありません。

正直にいって、なりゆきまかせで現在まで歩んできたというか、二人の子どもは、みなさんのお子様方と同じような、ふつうの子どもたちです。赤ん坊のころには泣き、おむつを換える手間もかかり、叩《たた》かないということをきかないときもあり、成長すれば反抗期が訪れ、口ゲンカもし、青年期になると人生に疑問や悩みを抱き、少々悪いことにも手を出し……といった具合です。

そんな二人の子どもを、私は、すごく大事な存在だと思い、大切にしてきました。そして、これからもそうしたいと思っています。そのこともまた、みなさんが、ご自分のお子様方を大事に大切に思われているのと同じことです。

どこが天才やねん

ですから、世間の人やマスコミが、みどりや龍のことを「天才」とか「神童」と呼ぶことに対しては、私が生まれ育ち使い慣れた関西弁で、「そんなあほな。どこが天才やねん。ふつうの子ですがな」といいたくもなります。

それでもなお「天才」とか「神童」という言葉を使われることに対しては、言葉がちょっと汚くなりますが、「くそったれ天才」「アホンダラ神童」といいたくもなります。

これらの言葉は、じつは、この本のタイトルとして私が思いついたものでした。

それは、「天才」や「神童」という言い方は、本来ベートーヴェンやモーツァルルトほどの人物に対して使われるべき言葉で、みどりや龍のようなふつうの子どもに対していわれるなんてとんでもない、という気持ちからでした。と同時に、そういう言い方をする人がいても、頭に血をのぼらせたらあかんよと、みどりや龍に対して自戒しなさいという意味を込めた言葉でした。でも、編集部の方や相談にのってくださった方々から、ちょっと言葉がきつすぎるというか、汚すぎるという意見が多かったので、タイトルは編集部におまかせしました。

そんなわけで、「二人の天才を育てた母親」というような目で見られ、本を書くことをすすめられたことに対して、「天才なんか育てた覚えはありません」と言い返しておきながらこの本を出版するのは、私自身ちょっと矛盾するような気もするのですが、どこにでもいるふつうの子どもたちを自分なりに苦労して育ててみたところが、「天才」とか「神童」と呼ばれるようなことになってしまった、という意味では、みなさま方の——とくに世の中の子育てに苦労されているお母様方に対して、少しでも参考になるのではないか、と思ったしだいです。

成果があってこその「天才」

ここで、「天才」とか「神童」という言葉がこの本を出すきっかけとなったわけなので、せっかくですから、それらの言葉について、私なりに少しばかり考えてみたいと思います。

「神童」という言葉は、誰もが驚くほどの何らかの才能を発揮する幼い子どものことで、「童」という言葉が表しているとおり、子どもに対してだけ使われる言葉です。一方、「天才」という言葉は、大人《おとな》に対しても使われます。それは文字どおり、生まれつき備わった「天賦《てんぷ》の才能（天才）」に恵まれ、その才能を存分に発揮し、私たちにはとうてい不可能と思えるほどの見事な作品を創作したり、驚異的な発明や発見をするといった、素晴らしい成果を残した人のことを指す言葉だと思います。

でも、よく考えてみると、人々が誰かのことを「天才」とか「神童」と呼ぶときは、まず「素晴らしい成果」があって、それに驚くことから始まります。そのような「素晴らしい成果」は、よほどの生まれつきの才能がないと不可能だ、努力や訓練だけではできるはずがない、と思えるところからさかのぼり、きっと天性の才能があったに違いないと思われ、「天才」という言葉が使われるわけです。

ここで重要になるのは、何よりも「成果」です。「天賦の才能」ではありません。いくら「天賦の才」に恵まれていたとしても、「成果」が見えないと、誰もその人のことを「天才」とは呼びません。「天賦の才」は、「成果」がないと誰にも見えないものなのです。

モーツァルトにしろ、ベートーヴェンにしろ、ピカソにしろ、アインシュタインにしろ、素晴らしい音楽や絵という作品を創作したり、相対性理論という誰も思いつかないような少々破天荒《はてんこう》な理論を考え出したりという「成果」が存在しているからこそ、「天才」と呼ばれているわけです。いま例にあげた方々とはとても比べものにはなりませんが、私の二人の子どもたちが、ときに「天才」と呼ばれたりすることがあるのも、小さい子どもにもかかわらずヴァイオリンを少々巧《うま》く弾きこなせるという「成果」を見せたりしたものですから、そのように呼ばれたりもするわけです。

誰が「天才」かはわからない

「天才」という言葉は、よく使われるけれども、「天才（天賦の才能）」それ自体は、誰も、見ることも、確かめることも、できない。ということは、そういう「天賦の才」というものが、ほんとうに存在しているのかどうか、それは、わからない、というほかありません。

最新の脳に関する研究によれば、ピカソの造形の能力や、一流スポーツマンの身体を動かす能力などについては、脳に、通常の人々とは異なる構造や働きが備わっているらしい、ということがわかってきはじめたそうです。また、そのような脳の構造や働きの違いによって、さまざまな能力の違いも生じているそうです。

ということは、いつか将来、赤ん坊が生まれると、その脳の構造を測定検査して、この赤ん坊には音楽の演奏に関する特別な能力が備わっているとか、一流のスポーツマンになれる特別な身体能力が備わっている、といったことがわかるようになるのかもしれません。

そうなれば、ほんとうに誰が「天才（天賦の才の持ち主）」なのかがはっきりとわかり、その才能を伸ばす英才教育を施《ほどこ》そう、というようなことになるのでしょうか。とはいえ、だからといって、いろんな分野で素晴らしい「成果」を残す人物が次つぎと現れるようになるのかどうかは疑問ですし、また、そのように生まれながらの才能がはっきりと見極められることが、はたして人間にとって望ましいことなのかどうか、それは非常に難しい問題であるように思います。

リーダーになる犬は赤ちゃんのときからわかる

ここで、私が経験したエピソードを一つ、ご紹介します。

それは、八歳になったみどりと一緒に、アメリカへ行ったときのことでした。アスペン・ミュージック・フェスティヴァルという音楽祭に参加したのですが、時間の空いたときに、近くにあった犬橇《いぬぞり》を引く犬の飼育施設を見学させてもらいました。

私もみどりも、犬が大好きなので大喜びで見学に行ったのですが、数え切れないほどの多くの犬が、小さく仕切られた小屋や檻《おり》で飼われていて、ちょっと可哀想な気持ちになったりもして、期待したような嬉しさは味わえませんでした。

そんななかで、生まれたばかりの赤ちゃん犬と母親犬を見せてもらったときのことです。赤ちゃん犬が五匹か六匹、小さな頭をお母さん犬のお腹に競うようにして突っ込んで、一生懸命お乳を吸っていました。そんな犬の家族が並んでいるところで、案内してくれた人に、こんな質問をされたのです。

「大きくなったら、どの犬が橇の先頭を引くか、わかりますか？」

犬橇の先頭を引く犬は、もちろんリーダーとなる犬です。先頭を走って力強く橇を引くだけでなく、人間の指示に従い、ほかの犬もその指示に従わせるよう牽引《けんいん》する役割があります。そこで、「どの犬が……」と訊《き》かれた私は、じっと赤ちゃん犬の顔をのぞき込み、見比べてみました。そして、「この犬」といって一匹の赤ちゃん犬を指さすと、案内してくれたアメリカ人も、「イエス」といってうなずいてくれたのです。

それは難しいことではありませんでした。はっきりいって、誰が見てもわかることです。どんな人でも、よく見れば、正解を当てることができます。というのは、目が違うからです。目の輝きが違う。光りかたが違う。「栴檀《せんだん》は双葉《ふたば》より芳《かんば》し」という諺《ことわざ》がありますが、リーダーになる犬は、やはり赤ん坊のときから芳しかったのです。

そのとき私は、隣に立っていたみどりをじっと見つめて、もちろん口には出しませんし、悟《さと》られないようにと注意もしたうえでのことでしたが、心の底で、「あかんなぁ。違うなぁ」とつぶやいたものでした。

とはいっても、べつに落胆したというわけではありません。私が「栴檀は双葉より……」とつくづく思ったのは、犬の話。それも、犬橇を引くという将来の仕事まで決められている犬の話です。そんな犬の話は、人間にはまったく当てはまらないはずです。

人間が生まれ成長する過程は、犬とは比べものにならないくらい複雑です。世の中の環境も複雑で、人間は多種多様な周囲の環境から、じつにさまざまな、多くの影響を受けるなかで育ちます。そんな複雑な人間の歩みを、またそういう歩みを経た将来の姿を、生まれたばかりの目の輝きや、顔つきだけから判断することなど、できるわけがありません。

パヴァロッティの「産声伝説」

大テノール歌手のルチアーノ・パヴァロッティは、生まれたときに「オギャア」と叫んだ産声《うぶごえ》が、素晴らしいハイC（オクターヴ上のドの音）だった、などという話を聞かされたことがあります。が、それは明らかに、あとになってから創作された伝説だと断言できます。

人間の赤ん坊の産声は人種を問わず、みんな「ラの音」だそうです。周波数でいうと四四〇ヘルツ（一秒間に空気を四四〇回振動させる音）。生まれたばかりの赤ん坊の身体の大きさというのは、だいたいみんな同じくらいで、そのため声帯の長さにさほどの差が生じないため、どんな赤ん坊でも四〇〇〜五〇〇ヘルツの間の「ラ」に聞こえる音程で産声をあげるのだそうです。オーケストラが、最も音程の安定している楽器であるオーボエに合わせて、演奏前に音合わせをするときの音が四四〇ヘルツの「ラ」の音で、やはり私たち人間にとっては、赤ちゃんの産声である「ラ」

の音（アルファベット表記では「A」の音）が、自然に基本になっているようです。

それはさておき、パヴァロッティに「産声伝説」が生まれたのも、彼が多くの人人に「天才」と思われるほどの素晴らしく美しい歌声を披露《ひろう》したからでしょう。そのような「成果」からさかのぼって伝説が創り出されたはずです。おまけに彼は歌手ですから、彼が成長するとともに身につけたベルカント唱法（美しく大きく歌声を前方へ響かせる歌い方）の発声法や呼吸法といった技術、さらに彼が勉強した音楽に対する理論や知識といったもの以上に、彼自身の肉体に生まれつき備わっている声帯という器官に注目が集まり、それが生まれつきのもの、すなわち「天賦の才」と考えられ、伝説となったのでしょう。

そういえば、将棋ですごく強い人が、赤ん坊のときに将棋の駒を握って生まれてきたとか、そんなふうに、世の中の人々は、何か素晴らしい「成果」を見せた人に対して、そのことを生まれながらの才能の結果と思いたがり、「天才」という言葉を使いたがるようです。

その気持ちは私にも理解できますし、私も、「天才」と呼ばれるくらいのヒーローが出てきてほしいと思っています。天才的ヒーローの出現は、世の中を明るくしますから。

子どもはみんな「天才」

日本で初のノーベル賞をもらった物理学者の湯川秀樹さんは、次のように書いています。

「私たちが天才に興味を持つのは、自分の中に潜在的に持っているものを美事《みごと》に表現してくれた、はっきり結実させてくれた、という喜びを見いだすからである」

(湯川秀樹『天才の世界』より)

この言葉が正しいかどうか、私にはわかりません。モーツァルトが素晴らしく美しい音楽を創り出したり、ピカソが見事な絵を描いたり、アインシュタインが相対性理論を考え出した、そういう才能を、「自分の中に潜在的に持っているもの」とは、私にはちょっと思えません。少なくとも私にはない、と断言できます。

しかし、誰がいったか知りませんが、「十で神童、十五で天才、二十歳《はたち》すぎればただの人」という言葉があるように、子どもなら誰でも、ときに周囲の大人が仰《ぎょう》天《てん》するような素晴らしい才能を示すことが、ままあります。

この言葉は、「二十歳すぎれば……」のほうばかりが注目されて、じっさい、みどりも龍も、ありがたいことにそろそろ「ただの人」と認められるようになってきているようですが、じつは注目すべきなのは「十で神童、十五で天才」という言葉のほうで、子どもだったら誰でも「神童」であり「天才」であるようにも思えます。

何しろ子どもというのは、二歳から五、六歳のころに山ほどの言葉をおぼえるわけです。また十歳前後のころまでに、やっていいこととやってはいけないこと、生活習慣や社会の慣習といったものも、数え切れないほど頭に入れ、身につけます。

その間、たった数年しかありません。数年のうちに、ものすごく多くの情報を吸収し、自分のものにします。私たち大人が、わずか数年のうちに、いったいどれだけのことをおぼえ、身につけ、成長することができるでしょう。そのことを考えてみると、どんな子どもの成長も、「天才的」というほかありません。子どもはみんな「天才」だといっても、けっしていいすぎとはいえないでしょう（ですから、編集部の方がつけてくださったこの本のタイトル『「天才」の育て方』は、『（私流）子どもの育て方』という意味だとご了解ください）。

そういえば、モーツァルトもベートーヴェンも、幼いうちに音楽家だった父親から、ピアノ演奏や音楽理論について、徹底的に教え込まれたといいます。またモーツァルトは、幼いころに父親に連れられ、ヨーロッパの各地を旅し、各地方で盛んになっていた特徴ある音楽に接し、それらをすべて吸収したといわれています。

もちろん、同じ環境のなかで育てば、誰もがモーツァルトやベートーヴェンになれるというわけではないでしょう。それでも、誰もが「天才」ともいえる能力を発《はっ》揮《き》する子どものときに、そのような環境にあったということは、たいへん重要なことで、それがなかったら、モーツァルトやベートーヴェンの名曲も生まれなかった、というのは間違いないと思います。

人間がオオカミに育てられたら

人間は、赤ん坊のころからオオカミに育てられたらオオカミのようになってしまう、という話を聞いたことがあります。虎やライオンは、オオカミに育てられても虎やライオンに育つ。オオカミにはならない。猿も、猿にしかならない。たとえ、赤ん坊のときからずっと育ててくれたオオカミを、自分の母親だと思いこんだとしても、虎は虎、ライオンはライオン、猿は猿にしかならない。いや、虎やライオンや猿は、誰に育てられても虎やライオンや猿になるわけです。ところが、人間は、そうはいかない。

オオカミに育てられた人間の赤ん坊は、成長するとオオカミのように四つんばいで走り、狩りをし、生肉を囓《かじ》るようになる、といいます。そうして人間というにはほど遠い、オオカミそのものになってしまう。じっさい、かつてインドで、そのように赤ん坊のときからオオカミに育てられ、オオカミそのもののようになってしまった二人の子どもが実在したという話を聞いたことがあります。

そういう特性は、人間にしかないものだそうですね。

インドでの出来事が、確かな事実なのかどうか、また、科学的根拠があるものなのかどうか、詳しいことは知りませんが、私は、たしかにそのとおりだろうと思います。

生まれて間もなく四本の脚で立ちあがって歩く動物とは違って、人間の赤ちゃんは、立ちあがって歩けるようになるまでに、一年以上もの年月を要します。それは、進化の過程で大脳が大きくなりすぎ、動物と同じくらいまで胎内で成長してから産まれようとすると、母親の産道を通れなくなってしまうから、といいます。

ということは、動物としては、本来まだ母親の胎内におさまっているべきときに、早くも外の世界へ産み出されるわけで、それからあと、赤ん坊のときに外の世界から受ける影響によって、学習したり身につけたりすることも、本来は一人の人間が赤ちゃんとして誕生する前の出来事、つまり「天賦の才」といえるものであるかもしれないわけです。

話が、少しややこしくなりました。理屈はともかく、なぜ、こんなお話をしたかというと、人間にとって、幼いときの環境がいかに大切か、子どものときの環境がいかに大事か、ということをいいたかったからです。

そして、その環境を形づくるのは、親であり、とりわけ母親であると、(母親である私は) 思っています。

第1章
親子は「コミュニケーション」がすべて

みどり最初のおさらい会は母のピアノで。1975年

なぜヴァイオリンだったか

私が、みどりにヴァイオリンを教えたのは、べつに深い意味や目的があったわけではありません。私はヴァイオリンを弾くことができる。ヴァイオリンだったら教えることができる。いいえ、ヴァイオリンしか教えることができない。ただそれだけのことです。

子どもに習い事をさせるには、お金がかかります。でも、うちの子がヴァイオリンを習うのは、無料《ただ》でできることだったのです。

ある雑誌の企画で、フィギュアスケートで大活躍している織田信成《おだのぶなり》君のお母様である織田憲子さんと対談したことがあったのですが、そのとき憲子さんも、まったく同じことをおっしゃいました。

憲子さんご自身がスケート教室の先生をしていらした。信成君が生まれて、目を離せないのでスケート教室をやっているリンクに連れて行った。そのうち信成君が、自分もスケートをやりたいといいだした。だったら、「無料《ただ》でできることだから、私が教えよう」と。自分が子どもにしてやれることはやろう、というわけです。

私の場合もそれと同じで、私がヴァイオリンでなくピアノのほうをもっとうまく弾くことができたなら、ピアノを教えていました。絵を描くことが得意だったら、絵を子どもに教えていました。音楽や絵画といったことでなく、何かほかのジャンルで子どもに教えられることがあったなら、それを教えていたと思います。そのようなほかのものと比べて、ヴァイオリンに何か特別な意味があったわけではないのです。

私自身は、五歳のころからヴァイオリンを習いはじめました。というより、親に習わせられました。

当時は、第二次世界大戦の終戦からようやく十年を過ぎようかというころで、日本の社会も経済もようやく持ち直しはじめたとはいえ、朝鮮戦争が休戦したばかりで、アメリカとソ連の冷戦が非常に厳しい緊張状態にありました。核爆弾による脅威も、いま以上に多くの人が現実問題として感じていた、そういう時代でした。

そんな社会状況のなかで、私がヴァイオリンをさせられたのは、何かひとつ手に職をつけるというか、将来がどんな社会になるかわからないとしても、それで食っていくことのできる技術を身につけておいたほうがいい、と親が考えたからでした。楽器ができれば、女でもなんとか食っていけるだろうと。それでヴァイオリンのレッスンに通わせられ、音楽高校、音楽大学に進んでずっとヴァイオリンを続け、大学のオーケストラではコンサートマスターもさせてもらいました。

しかし、態度の悪い生徒というか、練習には不熱心でした。先生にはよく反抗もしました。それに、いま思えば若気《わかげ》の至りというほかないのですが、何度か家出をしたりもしました。ちょうど、時代は一九六〇年代の後半。私は、音楽中心の学生生活でしたから学園紛争とは無縁でしたが、同世代の当時の若者たちは既成の社会体制に反抗し、デモを繰り返し、独立しようという空気が充満していた時代でした。私も、海外へ飛び出したいなぁ……とか、ヴァイオリン留学を口実に、そういうことができないものかなぁ……なんて思ったこともありました。

そして、親に呆《あき》れられ、叱られ、見合いをさせられて結婚するという、少々情けない結果に終わってしまったのですが、そうして私が二十二歳のときに産んだ子どもが、みどりだったのです。

「ヴァイオリンのある環境」に反応した

私も、まだ若かったこともあって、子どもが生まれても、それまで自分のやっていたヴァイオリンしか教えられることがなかったというか、私自身、ヴァイオリンのこと以外、ほかに何も知らなかったわけです。

でも、最初は、みどりにヴァイオリンを積極的に教えようという気はまったく起こらなくて、三歳のころにピアノを習わせたのですが、いやがって三ヵ月くらいでやめてしまいました。そのあたりは、私の遺伝子のせいかもしれません。

ただ、私が一人でヴァイオリンを弾いているのをそばで見ていたり、近所の子どもに教えることもあって、家にやってきた子どもたちが弾くのを見ていたりしたせいか、みどりはヴァイオリンに興味を示しはじめました。母親も弾く、家に来る子どもたちも弾く、だから自分もヴァイオリンが弾けると思ったのでしょう。

そんなときに、私の母親、みどりの祖母が、三歳の誕生日のプレゼントとして、子ども用の（「十六分の一」といわれるサイズの）ヴァイオリンを買い与えたのです。みどりにとっては、子どものときの環境としてヴァイオリンが存在していた、というわけです。

お能や狂言や、その囃子方《はやしかた》をされているような伝統芸能の家系に生まれたお子さん方は、赤ん坊のときから自分のまわりに鼓《つづみ》や笛や太鼓《たいこ》があるのでしょうが、そういう環境も、要は親がそのような楽器を扱っているからで、子どもにとっての環境というのは、結局、親のやっていることといえるのではないでしょうか。

もちろん親のやっていることに反応しないお子さんもいるでしょう。が、みどりは、私の弾いているヴァイオリンに反応した、というわけです。

だったら教えてみようか、ということになって指導をはじめました。といっても、まだ三歳ですから、十六分の一のヴァイオリンでも腕の長さと同じくらいの大きさです。左腕をまっすぐに伸ばして、やっとヴァイオリンを持てるだけ。指で弦を満足に押さえることもできません。右手に持った弓を動かして、ただギイコギイコと鳴らすだけです。指導といっても、きちんと立ちなさい、という程度です。右のアンヨはここ、左のアンヨはここ、ふらふらしないで、背筋を伸ばして、というだけで精一杯。

楽器を始める適齢期は？

よく尋ねられることに、子どもにヴァイオリンを始めさせるのには何歳くらいからがいいのか、という質問があります。これは、いろんな人に訊かれます。ヴァイオリンを弾けるようになるためには何歳くらいから始めなければならないのか、という訊き方をされる人もいます。

しかしそれは、人それぞれ、子どもそれぞれによって違うとしか、答えようがありません。子どもの環境も違う、興味の持ち方も違う、目的も違う、目標も違う。家に偶然ヴァイオリンがあるから、せっかくだから弾けるようにさせようというのか、情操教育としてヴァイオリンでも習わせようというのか、できれば音楽で身を立てさせようと思うのか、プロの音楽家にしようと思うのか、人それぞれです。

みどりも龍も、三歳くらいでヴァイオリンを手にしましたが、もっと遅く、歳をとってからヴァイオリンをはじめて、プロとして大成されている方もおられます。ただ、三歳から五歳ころの子どもというのは、驚くほど多くの情報を次つぎと吸収できる年齢であることは確かです。大脳もそのころに大きく発達し、言葉もいっぱいおぼえることができる。そういう時期には、いろんなことをどんどん身につけることができます。

しかも、そのころ身につけたものというのは、一生忘れません。小学校に入るか入らないかという時期に自転車に乗れるようにしておくのはラクで、一度自転車に乗れるようになれば一生乗ることができます。が、子どものときに練習をせずに大人になってから乗れるようになろうとするのは難しい。でも、乗れないこともない。それと同じことです。

子どもの興味は環境しだい

ただ、子どもですから、むりやり何かをさせようと思っても、無理があると思います。自転車だったら、乗っている人が子どものまわりにいっぱいいます。子どもが外に出るようになれば、自転車に乗っている人をたくさん見る。ほとんど毎日見るでしょう。だったら自分も、あんなふうに乗れるようになりたい、という興味は自然に生まれてきます。そこで自転車を与え、最初のうちはお父さんかお母さんが後ろを支えてやって何度か練習すれば、子どもはすぐに乗れるようになるわけです。

ヴァイオリンとかピアノが、自転車と同じように誰でも……というわけにいかないのは、やはり環境の違いが大きいかもしれません。自転車ほどには、誰もが乗りこなしているわけではないのですから。自転車なら誰もが乗っているから自分も乗りたい、乗れるようにならなければ……と子ども心に思うでしょうが、親が子どもにヴァイオリンを弾けるようにさせたいと思っても、周囲にそういう人があまりいなければ、弾けないほうが当然、と思ってしまう場合も多いでしょう。

そういう意味で、みどりの場合は、自分の周囲を見つめる意識が芽生《めば》えてきたときに、ヴァイオリンを弾いている人がおおぜい目に入ったことが、大きく影響したと思います。

龍の場合はそれ以上といいますか、母親の私もヴァイオリンを弾いている、父親も弾いている、十七歳年上の姉のみどりも弾いている、なのにどうしてぼくにはヴァイオリンを持たせてくれないの？　というわけです。だったら持たせてみようというのは、いわば自然のなりゆきでした。

子どもがまったく興味を示さないものを押しつけても、やはりうまくいかないと思います。子どもの興味というのは、周囲の環境、つまるところ親のやっていることや、親の興味を持っていることによって醸成《じょうせい》されるのでしょう。

厳しく注意するのは当然

みどりも龍も、ヴァイオリンに興味を持ったので、それなら教えようか、ということになりました。私の指導は、周囲の人にいわせると、かなり厳しいものらしいのですが、それは、中途半端なことが嫌いな私の性格によるものかもしれません。

しかし、先ほどお話ししたとおり、三歳から五歳という幼い時期に身につけたことは、一生忘れないわけです。ということは、そのときに間違ったことを身につけてしまえば、その間違ったことを一生引きずるようになってしまいます。大きくなってから、それを直そう、改めようとしても、それは非常に難しい。大きくなってから自転車に乗ろうとするのとは比べものにならないくらい、難しいことです。

一生忘れないほど、一生同じことを繰り返すくらいに身についてしまったものを、根っこから変えようとするのは、たいへんなことです。それは、いったん死んで生まれ変わるようなものといえるかもしれません。ですから、子どもの将来のためのことを思えば、少々厳しくなるのも当然のことでしょう。

基本が大切、という技術的なこと以上に、子どもが将来困るようなことにならないように、と思えば、子どもが間違ったことをしているときに厳しく注意し、ときに手が出たりするのも、当たり前のことだと、私は思っています。

大切なのは「子どもへの敬意」

その指導の中身については、後の章で少し詳しくお話ししたいと思いますが、子どもに何かを教えようとするときに、いちばん大切だと思っていることが、私にはあります。それは、子どもに対する最大限の敬意です。尊敬の念です。

夫婦のような年齢の近い大人どうしの関係なら、互いに敬意を抱くというのは自然にできることでしょう。でも、相手が子どもとなると、なかなか難しいものです。

だからといって、私はけっして面と向かって自分の子どもをほめたりはしません。子どもに敬意を抱く、子どもを尊敬するというのは、「よくやったね」とか「がんばったね」などといって子どもをほめることとは違います。「素晴らしい」と感心することでもありません。

身体も小さい、精神的にも安定していない、世の中のこともまだわからない、そういう子どもは、どんなことをするうえでも、たいへんな苦労をしなければならないわけです。大人だったら何でもないことでも、子どもにとっては身体的にもきついでしょうし、精神的にもつらいことでしょう。そのことを、認識しないといけない。

子どもは、何かを教えれば吸収も早いうえ、大人にとっては難しいことでも、いとも簡単にやってのけるように見えるときがあります。しかし、それがいかに短時間の出来事であっても、身体が小さく、体力的に弱く、心もあっちへ行ったりこっちへ行ったり揺れている子どもにとっては、たいへんな苦労のはずです。子どもが、何かひとつのことを集中してやるというのは、肉体的にも精神的にも、大きな負荷がかかっていることを忘れてはならないと思っています。

子どもはそれほどの苦労をしているのだ、ということがわかれば、一回のレッスンが終わったあとや、何かひとつのことをできるようになったとき、子どもに対する愛《いと》おしさがこみあげてきます。ほんとうによくがんばったな、という気持ちが自然に湧いてきます。もちろん、だからといってご褒美《ほうび》を与えるとか、そういうことをするのではなく、けっして甘やかしたりはしませんが、子どもに対する敬意、尊敬の念だけは失ったことがありません。

ヴァイオリンの稽古《けいこ》が、子どもにとっておもしろいわけがないのです。最初はヴァイオリンに興味を持って、自分もやりたいと思って弾きはじめ、少しでも弾けるようになってきたら楽しいとも思えるでしょうが、あとはほとんど毎日、ボウイング（弓の使い方）だの指使いだのの繰り返し。美しいメロディもまったく出てこない、羅列《られつ》した音符をなぞるばっかりです。

子どもだったら、お友だちと遊びにも行きたいはず。テレビも見たいはずです。それを我慢して、また我慢させられて稽古を繰り返すのですから、子どもにとってはたいへんな苦労です。それをわかれば、そういうことをしている子どもに対して、尊敬の念を失うことはないはずです。

子どもができる最高の親孝行

もちろんそうはいっても、私自身、子どもに対する敬意など忘れて、感情に走ってしまったことも何度かありました。とくに、みどりを指導したときがそうでした。

これだけ一生懸命教えてるのに、心ここにあらずで、よそ見をする。私がちょっと部屋を出て行ったら、ヴァイオリンの音が止まる。いくら注意しても、同じ間違いを繰り返す。そんなこんなの状態がつづいて、頭に血をのぼらせていたときに、偶然ある人に出逢いました。

それは、二〇〇六年にお亡くなりになった黒柳朝《ちょう》さんです。黒柳徹子さんのお母様で、歳をとられてからチョッちゃんという愛称でベストセラーとなった本も書かれた元気なおばあさまでしたが、その方のお宅に一晩泊めていただく機会があったのです。そのとき、みどりのことで少しばかり精神状態の悪かった私は、朝さんに向かって、自分の苛立《いらだ》ちをぶつけてしまいました。

「私は本気で一生懸命なのに、娘が私のいうことを全然きかない。いったい何を考えてるのか……」そして、「このまま大きくなったら、親孝行なんてことも気にかけないような娘になってしまうかも……」といったときのことでした。

「節さん、あなた、何を考えてるのよ」と、朝さんに少しきつくいわれました。

「子どもはすでに、あなたに対して親孝行をし終わっているんですよ……」

いったいどういうことかな、と思ってぽか～んとしていると、朝さんは、こう続けられました。

「子どもが生まれたときに、おっぱいをあげましたよね。哺乳瓶《ほにゅうびん》でも母乳でも、どっちでもいいんですけど、そのときに、子どもはニコッと笑ったでしょう。その笑顔を見たときの、あなたの気持ちをおぼえてますか。そのときの気持ちは、あなたの人生で忘れられない重要なポイントだったんですよ。あの笑顔は、子どもができる最高の親孝行でしょう。子どもは親に対して、そのときに、もう親孝行をし終わっているのですよ」

そういわれて、私は、そのときのことを思い出しました。ほんとうに、うれしかった。神様から授《さず》かった子どもが自分に向かって微笑《ほほえ》んでくれているというか、ほんとうに可愛くて、素晴らしいものでした。

それが、だんだん大きくなって、親のいうことをきかなくなったり、反抗したり、それが親に向かって口にする言葉かといいたくなるような憎まれ口をきくようになったりするわけですが、朝さんから、この話をお聞きして以来、私は、自分の子どもがはじめてお乳をのんだときの笑顔、そのときの自分の気持ちを思い出すようにしています。

たしかに子どもは、そのときすでに素晴らしい親孝行を終えているのです。だったらあとは、親孝行をしてくれた子どもへのお返しとして、親から子どもへの「子孝行」をしなければならないわけで、親が一生懸命お返しをするのは、当たり前のことなんですね。

ヴァイオリンはコミュニケーションの手段

親が子どもに何かを教えるときに子どもに対して敬意を抱くというのも、子どもが親にしてくれた素晴らしい親孝行も、その子に親が「子孝行」をするというのも、考えてみれば、それらはすべて「コミュニケーション」だということができると思います。一方的な情報の発信ではなく、そこには相互の交流があります。

ありきたりで、いまでは使い古された言葉になってしまったかもしれませんが、この「コミュニケーション」という言葉を、私たちは、もういちどよく考え直してみる必要があると思います。

私が、みどりにも龍にもヴァイオリンを教えるようになったのは、先にもお話ししたとおり、すべてはなりゆきでした。とくに計画性を持っていたわけでなく、目標を立てていたわけでもなく、自然のなりゆきでやってきたら現在に至った、というのが嘘偽《うそいつわ》りのない正直な気持ちです。

ただ、子どもにヴァイオリンを教えて、ほんとうによかったなと思えるのは、ヴァイオリンというものが、私と子どもたちとのあいだを結ぶコミュニケーションの手段として存在したこと、そして、いまも存在しつづけていること、といえることです。

私の都合で子どもを振りまわしてしまった

私は、みどりが十歳になったときに、彼女を連れてアメリカのニューヨークへ渡りました。一九八二年のその日は建国記念日だったので、いまも二月十一日と記憶しています。

それは、みどりがジュリアード音楽院のドロシー・ディレイという先生にヴァイオリンを教わるためでもありました。ディレイ先生は、いまはもう亡くなられましたが、シュロモ・ミンツとか、イツァーク・パールマンといった、クラシック音楽ファンの方ならよくご存じの、超一流のヴァイオリニストを育てた名伯楽《はくらく》といわれた方でした。

　そのころには、みどりもかなりヴァイオリンが上達していましたので、どうせなら素晴らしい先生に教えていただきたいと思ったのは事実で、フランスにおられる高名な先生がいいのか、それともロシアの音楽院がいいのか……と、いろいろ調べたりもしたのですが、誤解をおそれずに正直にお話ししますと、そのとき私は、離婚を決意していたのです。

　先に少しお話ししたとおり、若いころ親のいうことをきかずにふらふらしていた私は、親に叱られ、親のいうとおりに結婚しました。ですから、別れた夫には少々申し訳ない言い方になりますが、結婚した当初からいずれは離婚するだろうな、と思っていました。それから十年たって、その思いを現実にしたい、つまり結婚生活に区切りをつけたいと考えていたのです。

　いまでは離婚というものが比較的容易になったというか、当たり前のことになりましたが、当時はまだ離婚というのはかなりやりにくいものでした。両親にも、お友だちにも、ご近所にも、あまりいい印象を与えないだろうし、迷惑をかけてしまうという気持ちもありました。

それで、みどりがちょうど新しい先生に教わる時期にもなっていたので、なるたけ目立たずに離婚する方法としてアメリカへ渡ったわけです。もちろん私の親にも、周囲の人にも反対されましたが、みどりをアメリカの先生に習わせるといって、ニューヨークへ行っているあいだに離婚をして、日本に帰ってきたときには、周囲の人に向かって、えっ？　知らなかったの？　とっくに離婚してるのよ、といってごまかしたかったわけです。

ですから、これもまたなりゆきというか、それ以上に私の身勝手な都合で、みどりを振りまわし、苦労をさせてしまったと思っています。

「できることは何でもしよう」

結果的には、アメリカへ渡って三ヵ月後の五月に、ディレイ先生の紹介によって当時ニューヨーク・フィルハーモニー・オーケストラの音楽監督をしていたズービン・メータに、オーディションのような形でみどりの演奏を聴いていただくチャンスを得ました。

そこで認めていただいたというか、おもしろい存在だと思っていただくことができ、その年の暮れから新年にかけてのニュー・イヤー・コンサートのサプライズ・ゲストとして招かれ、ニューヨーク・フィルと協演することができ、そのことがマスコミに騒がれたりもしました。ですから、理由は何であれ、私がみどりをアメリカまで引っ張っていった甲斐はあったともいえるかもしれません。でも、だからといって百パーセントよかったといいきることは、けっしてできません。

十歳を過ぎたばかりの子どもにとって、言葉も通じない新しい土地で、母親と二人だけでまったく新しい生活を始めるというのは、あまりにもたいへんなことでした。もちろん、そうなるだろうということは私も十分理解していたつもりで、みどりのために私ができることは何でもしようと思い、じっさいその思いを実行しました。

アメリカへ渡った直後は、私もみどりも、まったく英語が話せません。ですから、普通の学校へ入れることができず、プロフェッショナル・チルドレンズ・スクールという、プロの音楽家やモデル、俳優など、何か職業を持っているか、その卵である子どもたちのための学校に入れました。その結果、周囲を見て、自分もいずれはプロのヴァイオリニストになるという意識が、みどりにも芽生えたようでしたが、それでもやはり語学でのハンディは相当のものがあったので、学校の宿題などは私も手伝い、ほとんど一緒にしていました。

けっして「教育ママ」ではない

そのころ私とみどりが住んでいたアパートは、夜間や早朝に楽器を弾いて音を出すことが禁止されていたので、みどりが学校から帰ってくるとまずヴァイオリンの練習、晩ご飯のあとに学校の宿題、というのが日課になりました。

夜、みどりが寝たあとには、教科書を開いて、英和辞典を引きながら、英語の文章の下に日本語訳を書きました。次の日の朝、みどりがそれを読んで学校へ行く。

そして先生が英語で話されることと、私の書いた日本語とをすり合わせて理解する。そういう生活が一年間くらいは続きました。

そのうち、みどりのほうがどんどん英語を身につけていく。子どもは、さすがに吸収が早い。私の英語なんか、アメリカで二十五年以上も暮らしたいまでもまだぎくしゃくしたままですが、子どもはさっさと身につけてしまう。

そうして、英語の手助けをする必要はすぐになくなりましたが、みどりがジュリアード音楽院に通いはじめたころから、みどりがレッスンを受けているときに、私はジュリアードの図書館に通うようになりました。みどりがモーツァルトの練習をしているときはモーツァルトについて調べる。そして、あらゆるヴァイオリニストのレコードを聴いてみる。そのころはまだCDのない時代で、三十センチのLPレコードでしたが、そのなかから少しでも何かを学びとって家に帰り、みどりのレッスンのときに、「モーツァルトがこの作品を作曲したときは、こういう時代だった」とか、「このヴァイオリニストは、こういう弾き方をしていた」といったことを伝えるわけです。

こういう話をすると、何か教育ママのように思われるかもしれませんが、けっしてそうではありません。じっさい、勉強をがんばれなんて、子どもたちにいったことは一度もありません。テストで百点を目指せとか、一流大学に進め、などといったこともない。思ったこともありません。

この子に私が育てられていた

自分の子どもをなんとか優秀な子どもに育てようという教育ママではなく、すべては、自分の身勝手から苦労することになった娘のために、自分のできることはしなければならない、という思いでしていたことでした。でも、そのうち、これはいったい誰のための勉強なのか、と思うようにもなりました。

みどりはどんどん成長します。あっという間に英語の手助けはいらなくなる。ヴァイオリンも上達する。だったら今度は、私は何をできるのかな、と考えたときに、ふと感じたのは、「私は、この子に育てられているな」ということでした。

自分がこの子を育ててきた、と思っていたのが、じつは、この子に私が育てられていたわけです。

こんな言い方をするのは、私の性格からして、あまり好きではありません。笑われるかもしれませんが、やっぱり親ですから、子どもに対してはいつも威張っていたい。いい格好をしていたい。でも、子どもが私を育ててくれたというのは明白です。やっぱり親と子の関係というのは、一方的な情報発信でなく、双方向のコミュニケーションなんですね。

「子どもに育てられている」ということに気づけば、子どもに対して敬意を抱く気持ちも増してきますが、親としての気持ちもラクになります。いつもいつも親として、子どもを一生懸命育てなきゃ、あれもしなきゃ、これもしなきゃ、と思いつづけているのは精神的にきついことです。子どもに与えてばかりいるのではなく、子どもからもいっぱい与えられているのだと、そのことに気づくと、気持ちがなごみます。ホッとします。

子どもの言葉は美しい

子どもに育てられたこと、教えられたこと、子どもから学んだことは、山ほどあります。それは、子どもの勉強を手伝ったおかげで英単語をおぼえることができたとか、歴史の知識が増えたとか、そういうことではありません。そういうことをできるような親に育ててくれた、といえばいいのでしょうが、それだけでもなく、子どもはもっと素晴らしいことも教えてくれます。

アメリカに住んでしばらくして、ちょっと落ち着いたころに、犬を飼うようになりました。私の目から見ると、とくにどうということもない犬だったのですが、みどりがその犬をすごく可愛がる。その様子を見て、私は心が痛くなりました。やっぱりこの子は寂しいんだな、お父さんも取りあげてしまったし、おじいちゃんとも、おばあちゃんとも離してしまった……。その寂しさを、犬への愛情で紛《まぎ》らわしてるのだな……と思ったのです。

それにしても、あまりに異常と思えるほどにその犬を可愛がったので、あるとき、みどりに向かって、「なんで、こんな犬が可愛いの？」と、思わず口に出して訊いてみました。すると、「だって、この犬には、ママがいないんだから」という答えが返ってきたのです。

それは、ごくごく自然な言葉でした。母親の私がどれほどその言葉に胸を打たれたかといったことなど、子ども心にはまったく想像できなかったでしょう。自分の子どもの口にしたことを、こういう本のなかでほめるのは気恥ずかしいことですが、私は、その言葉を、すごく美しいと思いました。子どもの口にする言葉は美しい。私が、自分の寂しさを紛らわすため、という程度にしか想像できなかったのに、みどりは、それ以上に、犬の身になって考え、世話をしていたのです。そのことに、私は心を打たれました。

ほんとうに子どもというのは、大人の想像できないような情感を身につけているものです。子どものときの気持ちを、ともすればすっかり忘れて大人になってしまった親としては、せめてそういう子どもの言葉から学ぶという気持ちだけでも持ちつづけたいものだ、と思ったものです。

コミュニケーションの具体的な手段を

ほかにも、子どもから学んだことはいっぱいあるのですが、そのような双方向のコミュニケーションが成立するために、絶対に欠かせないのが、共通の話題です。共通語と言い換えてもいいと思いますが、共通する話題がなければ、いくら親子でコミュニケーションをとろうと思っても、まず不可能です。

逆に、親子で共通の話題を持つことができれば、自然にコミュニケーションをとることもできるはずです。映画でもいいし、テレビの番組でもいいし、テレビ・ゲームでもいいし、とにかく親と子のあいだに、何か共通する話題がないかぎり、子どもから何かを学ぶことも不可能ですし、そもそもコミュニケーションそのものが成立しないわけです。

私も、龍が熱中していたテレビ・ゲームを、何度か一緒にしたことがあります。何度やってもうまくいかなくて、子どもに負けてばっかりで、ちょっとむかついたりもしたのですが、それでもやってみれば共通の話題になる。

親と子はコミュニケーションが大切、などということは、べつに私があらためていわなくても、誰もがご存じのことです。しかし、最近は親子のコミュニケーションが薄らいできているから、コミュニケーションをとるようにしましょう、と誰かが呼びかけたところで、すぐにコミュニケーションがとれるようになる、というような問題ではありません。

子どもと会話することの減ったお父さんが、「やあ、ひさしぶり。最近何してる？　元気か？」などと話しかけても、子どもは怪訝《けげん》な顔をするだけではないでしょうか。

「親子の交流」「コミュニケーション」というのは、とても抽象的な言葉です。抽象的な言葉で表されているものを、そのまま実行しようとしても、それは不可能だと思います。そこには、何かコミュニケーションを形づくるための具体的な手段が、必要なはずです。

「いじめをなくそう」よりも大事なこと

ちょっと話が横道にそれますが、最近マスコミが騒ぎ、文部科学省も取り組んでいる「いじめ」という問題も、ある意味で抽象的な言葉といえるように思います。でも、「いじめをなくそう」というのは、もちろんまったく正しい意見でしょう。でも、ではどうすればいいのかという具体的な方法となると、じつにさまざまな個別の事例があるはずです。そのさまざまな個別の事例が、ほかのいろいろな学校の事情に合うか合わないかは、別問題です。

しかも「いじめをなくす」という言葉は、抽象的であると同時に、ネガティヴな考え方で、誤解をおそれずにいえば、ではいじめをなくして何をするのか、といいたくもなります。いじめの舞台は主に学校ですから、いじめをなくして勉強をしようということになるのかもしれませんが、勉強が嫌いな子どもは昔から大勢いるわけです。

「いじめをなくそう」というのは、いじめがなくなればそれでよい、という問題ではないはずです。また、いじめがなくなればそれでよいという考え方だけでは、いじめもなくならないのではないでしょうか。

抽象的な「正しい意見」を実現させようとするのではなく、そこには、ポジティヴで具体的な方法が必要なはずだと、私は思います。吹奏楽《すいそうがく》でも合唱でもスポーツでも、なんでもいいですから、子どもが熱中できることを大人が与える、ということのほうが、「いじめをなくそう」というかけ声よりも大事で、しかも有効なことではないかと、私は思っています。

もっとも、マスコミやお役所というのは、個別に具体的に物事を考えるのではなく、一般論として抽象的に物事をとらえる傾向があります。「犯罪のない社会」「家庭を大切に」「親子のコミュニケーション」「美しい国」……。マスコミや行政は、より多くの人々、国民すべての人々に当てはまることをいおうとする傾向があるわけで、そうすれば言葉が抽象的になるのもしかたのないことかもしれません。

しかし、私たちの日常生活は、けっして抽象的に成り立っているものではなく、きわめて具体的な行為の積み重ねであることを忘れてはいけないと思います。

ニューヨークでの困窮生活

話をもとに戻します。私とみどりの場合、親と子のコミュニケーションが成立すある共通の話題は、あるときはみどりの学校の宿題だったりもしました。あるときは飼い犬のことであったり、またあるときは、ニューヨークでの生活そのものが、共通の話題として存在しました。

私自身、二人の子どもを育てたからといって、誇れることとか自慢できること、自分で満足していることというのは、何も思いつかないのですが、それでもたったひとつだけ、少しは自分をほめたいと思うことがあります。それは、みどりを連れてニューヨークへ行ったときの「倹約《けんやく》生活」でした。

先ほどもお話ししたとおり、両親や周囲の反対を押し切って、逃げるようにしてニューヨークへ渡ったものですから、お金がちょっとしかなかった。おまけに就労ビザをとれなかったので仕事ができない。不法労働になってしまいますが、隠れてレストランの皿洗いをしたい、とも真剣に考えました。でも、収入は微々《びび》たるものので、みどりとできるだけ一緒にいたいという強い思いもあり、結局「ヤミ労働」には踏み出せなかった。その結果、金銭的、経済的に、文字どおり困窮《こんきゅう》してしまいました。

そんなときに、いろんな事情から一時期アパートを出てある家に転がり込んだところが、そこの家のお子さん方が偶然ヴァイオリンをやっていたので、その子たちを教えることで食いつないだりもしたのですが、ともかく、倹約することを心がけました。贅沢《ぜいたく》は、一切しなかった。

親子で助け合えたのはラッキーだった

私も女ですから、洋服もほしくなる、ショッピングもしたい、たまには外で食事もしたい……と思いました。少しお金が手元にあるときは、あれも買いたい、これを買ってみようか、と思ったこともあります。でも、我慢できました。心のなかで「私はお肉は嫌いだ」「私はお刺身は嫌いだ」とつぶやいたことが何度もあります。

それも、自分の身勝手から招いた現実ですからしかたありませんが、ただ、ふたつの点で、非常にラッキーだったというか、よかったなと思えることがありました。

ひとつは、そういう倹約生活が自分の子ども時代とよく似ていた、ということです。私の育った昭和の三十年代は、いまと比較すればまだまだ貧しい時代で、誰もが質素な生活を心がけ、倹約は美徳と考えられていました。私も、両親から無駄遣いはいけない、我慢しなさい、と教わって育ちました。

そのうち世の中は、倹約でなく消費することが美徳となり、いまも消費が伸びないから経済成長率が伸びない、などということを、マスコミも嘆いています。それは、たしかに世の中が豊かになった証拠ともいえるでしょう。多くの人が、昔とは比べようもないほどのお金を手にするような時代に変わってきました。

そのような時代が始まりかけたときに、私とみどりはニューヨークへ渡り、まるで昭和三十年代のような生活をはじめたわけです。

私は、やっぱりちょっとつらいと思いましたが、身体の中に昔の記憶があるというのか、経験がありましたから、我慢することができました。これは、ラッキーでした。

そして、もうひとつラッキーだったのは、娘のみどりにも、私の少女時代と同じような生活を、否が応でもさせることができた、ということです。経済的に苦しいとなると、食事にしろ、着るものにしろ、いろんなことを親子でシェアしなければならなくなります。二人で分け合い、一緒に倹約するようになります。助け合わなければならないわけです。

世の中が豊かになると、助け合う場面が少なくなります。助け合う必要がなくなってくるわけです。親と子も助け合う必要がなくなる。それと同時に、親と子が助け合うことによって生まれるコミュニケーションまでが失われてしまいます。

その意味で、みどりに苦労させたことは申し訳ないと思っていますが、日本の社会が大きく豊かになりはじめたところでニューヨークへ渡り、親子で倹約生活をはじめたというのは、共通の話題という以上の共通体験として、親と子のコミュニケーションを深めてくれました。そのことだけは、私にとって非常にラッキーだったと思っています。

絶対に取り戻さなくてはならないもの

でも、こんな倹約生活は、あまりみなさんの参考にはならないでしょうね。

いまのお子さん方は、物質的にすごく恵まれています。ほとんどの家にピアノがある。コンピュータもあれば携帯電話もある。そんななかで、私も苦労したんだからあなたも苦労しなさい、とはいえません。そんなの全部ほっぽり出して、親子で倹約生活をしなさい、というのも非現実的です。

世の中が豊かなことは、けっして悪いことではないわけです。いや、ほんとうは大いに喜ぶべきことです。ただし、世の中が豊かになることによって失われたものには、きちんと目を向けなければいけない。そして、その失われたものが、素晴らしいものであり、なくてはならないものだとするなら、それを取り戻さなくてはならない。世の中が豊かになった結果として失われたのなら、貧しい時代に戻してというのではなく、別の方法で取り戻さなくてはならない。

そのひとつが、親と子のコミュニケーションであり、これは、絶対に取り戻さなければならないものです。それには、共通の話題が必要で、私と二人の子どものあいだにも、いろいろ共通の話題を持つことができたということを、お話ししてきたわけですが、なかでもヴァイオリンは、これからもずっと、私とみどりのあいだで共通の話題でありつづけると思います。龍の場合も同じです。

そのような共通の話題、一緒にいつまでも話し合うことのできる話題が存在しているということは、親としてほんとうに幸せなことです。その意味で、いまでは、みどりにも龍にもヴァイオリンを教えてほんとうによかった、と思っています。たとえ現在のように、二人の子どもがコンサートの舞台に立ち、お客様から拍手をいただくような存在にならなかったとしても、ヴァイオリンをずっと続けていて、ヴァイオリンについて、音楽について、それを共通の話題として、親子で語り合うことができているなら、それだけで素晴らしいことだと思います。

ヴァイオリンよりも大切なこと

みどりも龍も、まだまだ若い人間ですから、この先どうなるか、私にもわかりません。ヴァイオリニストとして大成するのか、挫折《ざせつ》するのか、ある日突然、「もうヤーめた」となって別の道に進んでしまうのか、そういうことが明日にでも起こるのか、それはまったくわかりません。

でも、ヴァイオリンについて、音楽について、共通の話題として語り合うことはできると思います。私自身は、これから多くの子どもたちを相手にヴァイオリンの指導をおこないたいと思っています。

ですから、もしも、みどりや龍が、ヴァイオリン以外の道へ方向転換したとしても、きっと口をはさんでくることでしょう。

「いま、どういう教え方をしてるの?」「もっと、こんなふうにしたほうがいいんじゃないかしら」「ぼくは、こういう教えられ方、いやだったな」……

そこには、親子のコミュニケーションが存在しています。そして、親子のコミュニケーションのほうが、ヴァイオリンよりも大切なことだと、私は思っています。でも、そのためには、ヴァイオリンが必要なのです。

第2章
サル真似のススメ

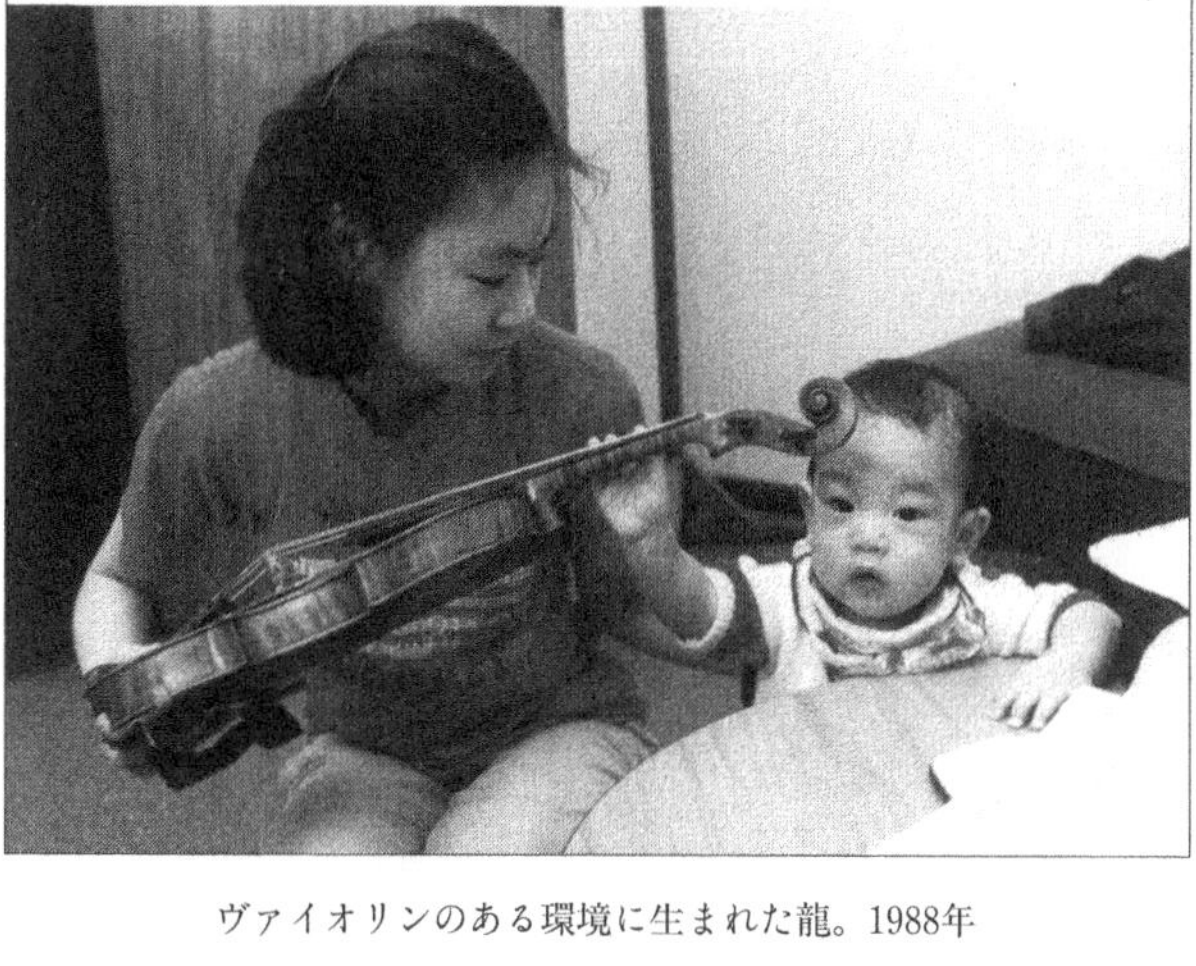

ヴァイオリンのある環境に生まれた龍。1988年

「サルまわしのサル」という批判

十歳のみどりを連れてアメリカへ渡り、一年もしないうちにズービン・メータの指揮するニューヨーク・フィルと協演できたのは、ほんとうにラッキーなことだったと思います。しかし、それから順風満帆《じゅんぷうまんぱん》のヴァイオリニスト人生がはじまったわけではなく、ほんとうにいろいろなことがありました。

そもそもニューヨーク・フィルとの協演というのも、「サプライズ・ゲスト」として招かれたもので、いってみれば、小さな子どもが大人もびっくりするほどにヴァイオリンを弾きこなす、ということが驚かれたわけです。

そのとき演奏したのは、「難曲」といわれているパガニーニのヴァイオリン協奏曲第一番の第一楽章でした。そんな大人でも難しいといわれる音楽を、まだ背の低い、あどけない、ちんちくりんの女の子が演奏したのですから、たしかに「サプライズ」ではあったと思います。

結果的には、演奏そのものも高く評価はされたのですが、それでも「小さな子どもが完璧に……」といった具合に、「子どもが」という「前置き」がつけられました。とはいえ、アメリカのメディアはおおむね好意を持って評価してくれ、その報道が日本にも伝わって「天才少女デビュー」といったニュースになったわけです。

しかし、日本での反応は、あまり芳《かんば》しいものではありませんでした。というか、あちらこちらから、批判や非難の声が聞こえてきました。

親が子どもを引っ張りまわしているだけじゃないか。典型的なステージ・ママ。あんな小さな子どもに、あんなことをさせるなんて、サルまわしのサル。子どもは、サル真似《まね》をしているだけ……といった具合でした。

私たち親子の関係は、他人からとやかくいわれる筋合いのものではありません。ですから、そんなこと放っておいてほしい……と思って無視すればすむことです。でも、ひとつだけ気になることがありました。それは、「サル真似」といわれたことです。いったい「サル真似」のどこが悪いのか……。

サル真似するから成長できる

そもそも人間を、それも子どもをサルにたとえるなど、ふざけた話です。けれども、サルにも人間以上に素晴らしい能力が備わっている面もあるわけで（その言葉を口にした方々は、そこまではお考えにはならなかったでしょうが）、自分の子どもがサルにたとえられたのはありがたいことと思うことにしましょう。

でも、他人（大人）のすることをそっくりそのまま（子どもが）真似ることを「サル真似」というのであれば、小さな子どもがすることは、すべてサル真似といえるのではないでしょうか。その「サル真似」を否定してしまえば、子どもは成長できなくなります。

どんなお母さんでも、抱っこした赤ん坊に向かって「マンマ」「マンマ」と何度も話しかけ、赤ん坊が「マンマ」と応えてくれると大喜びします。それはほんとうに嬉しい瞬間です。が、それもサル真似といえばサル真似です。言葉をおぼえることとイコール、サル真似でしょう。言葉だけでなく、朝起きて歯を磨《みが》くことも、顔を洗うことも、子どもはサル真似から始めます。親は子どもにサル真似をさせるため、自分で顔を洗ったり、歯を磨いたりして、お手本を見せたりもするでしょう。

「サル真似」の「サル」という言葉には、明らかに人間よりも知恵や知識が足りないという意味がふくまれています。サルは何も考えず、ただ真似ることだけをする、というわけです。大人にくらべて、まだ知識や知恵を持ち合わせていない子どもも、何も考えず、深く考えず、そうすることがいいことか悪いことかも考えず、なんでもかんでも真似てみる。あるいは、親や先生のいうとおりにする。

それだけに、親や先生というのは非常に責任が重いといえるのでしょうが、子どもは何も深く考えずに、ただ素直に真似ようとするから、短期間のうちに、山ほどいっぱいのことを身につけることができるのではないでしょうか。子どもはサル真似をするから成長することができ、サル真似を繰り返すから成長が早いのだと思います。

「個性」は誰にでも備わっている

そのうち大人になって、いろんな知恵や知識がついてしまうと、自分には自分の個性があるんだ、自分のやり方があるんだ、他人の真似をするなんて、そんな格好の悪いことはできない、といった意識も起こり、たとえ近くに素晴らしいお手本があっても、なかなか素直にはその真似をできなくなります。サル真似をしなくなる。という以上に、したくなくなる。だから成長が遅くなる。成長できなくなるのです。

「個性」などというものは、そんなにがんばって主張しなくても、誰にでも備わっています。一人一人の顔が違っていてきちんと区別がつくように（一卵性双生児の人でさえ、よく見ると違いがわかるわけですから）、どんなにサル真似をしても、お手本どおりにまったく同じというわけにはいきません。

だったら、素晴らしいと思えるお手本があれば、とにかく真似てみるべきでしょう。そこから、お手本とした人物と自分との違いもわかり、自分の「個性」というものにも、あらためて気づくことができるようになるはずです。

一流のヴァイオリニストといわれている人は、一流と呼ばれるようになってからでも、他人の弾き方を真似てみたり、素晴らしい弾き方があれば、それを自分のものにしようと努力するものです。また、真似ることが非常に上手です。

それは当たり前のことで、一流のヴァイオリニストは、さまざまな技術をいっぱい身につけていますから、その技術を駆使すれば、物真似もうまくできるわけです。絵画や文章を書くことやスポーツなど、ほかのジャンルでも同じで、真似ることはとても重要であり、真似てみようという意識を持つことも、真似ることができるのも、素晴らしいことだと私は思っています。

「まなぶ（学ぶ）」という言葉を古語辞典で引いてみますと、「まねぶ（学ぶ）に同じ」と書いてあり、「まねぶ」の欄には、「まねして言う。口まねをする。真似する。模倣する」と書かれています。そして最後に、「学問や技芸などを習う。修得する」と出ています（『古語大辞典』小学館）。

つまり、「学ぶ」とは「真似る」ことなのです。「真似る」ことをしなければ「学ぶ」ことはできないのです。

指導者を代えるということ

「サル真似」が（とあえていいますが）素晴らしいのは、その学習方法が、あらゆる人に当てはまる、という点です。

どんなジャンルにも、いろんな指導法があるでしょうし、指導者によって指導のしかたが違ってきます。でも、「真似る」「まねぶ（まなぶ）」ということだけは、どんな指導法に従おうが、どんな指導者に教えられようが、基本のなかの基本として、絶対に欠かせない学習方法といえます。

いろんな指導法、さまざまな学習方法は、子どもによって、向き不向きがどうしても生じてしまいます。ヴァイオリンでもピアノでも、あるいは学校の勉強でも、いくら素晴らしい名伯楽といわれるような先生に教わっても、その先生が、あるいはその先生の教え方が、すべての子どもに向いているとはいえません。

子どもの性格は千差万別《せんさばんべつ》です。目的や目標も違います。ですから、どんなに評判のいい先生でも、その先生に合わない子どもがいるはずです。

みどりの場合も、多くの先生やヴァイオリニストの門戸《もんこ》をたたきました。私ばかりが教えていれば、私以上になれないのは明らかですから。

私自身も、どんなふうに教えていいのやら、わからない箇所を抱えて、いろいろな演奏家や先生を訪ねました。

こういう話をある講演会の席でしたところが、聴衆のなかにおられた一人のお母様から次のような質問というか、相談を受けました。

お子さんが、幼いときからヴァイオリンを習っている。でも、どうもその先生の教え方が、自分の子どもには合わないように思える。そんなとき、隣の町にもっといい先生がおられるという噂《うわさ》を聞いた。とはいっても、小さいころからずっと教わっている先生なので、やめるとはいいだしにくい。やめるといったあと、先生を代えたことが知れるのは失礼だし、その先生に面と向かって、先生を代える、ともいえないし……。

親が納得できる先生に

お気持ちはわかりますが、こういうケースでいちばんまずいのは、お母様の迷いとか、不満とか、不安な気持ちとか、そういう心の揺れが子どもにまで伝わってしまうことだと思います。

いま習っている先生と子どもさんの関係がうまくいっていそうにないと思えて、そのことを子どもに尋ねても、子どもというのはすぐに不平や不満を口にするものですから、実態はよくわかりません。それよりもまず、お母さん自身の目で先生とお子さんの関係を観察することが必要です。性格的にどうしても合わないのか、練習のしかたが合わないのか、技術的に合わないのか、その関係をよく見極めたうえで、お母様が、このままではいけないと判断したなら、いま習っている先生にきちんと自分の考えた結論を説明して、別の先生に代えるべきです。

そのときは、「うちの子どもには先生の指導についていける能力がないので、隣町の△△先生のところで習わせたい」といえば、いま教わっている先生も、「それはいけません」とか、「それは許せません」なんていえないはずです。

とにかく、親が心の底で不満や不安を抱きながら、先生に妙な遠慮をしたり、我慢したりして、その不満や我慢が子どもに伝わってしまう、というのがいちばん悪い状態だと思います。子どもは、親が納得のできる先生にあずけることです。

もちろん、納得できる条件も、子どもの目的や親の目的によってさまざまに異なるわけで、単にヴァイオリンを楽しませたいと思っているだけなのに、あまりにも厳しい教え方をされる先生もいれば、かなり上達したのでもっと高いレベルを目指させたいと思っているのに、どうもやさしすぎて教わるペースが遅い……とか、いろいろあるわけです。

それぞれの目的のなかで納得できればいいのですが、納得できなければ、別の先生を探す。そして、先生を代える。それが「孟母三遷《もうぼさんせん》」ということだと、私は思っています。

みどりには「合わなかった」大先生

みどりは十歳のときにアメリカへ渡り、ドロシー・ディレイ先生に教わることになったのですが、ディレイ先生は、みどりにとってはベスト、世界中で一番素晴らしい先生だったと思います。けれども、ほかの子どもたちにとってどうだったか、それは、わかりません。

こんな言い方をすると、みどりを教え育ててくださった先生に対して、なんと失礼な……と思われる方がおられるかもしれませんが、これは事実です。どんなジャンルにおいても、性格も育った環境も千差万別のあらゆる人（子ども）を、誰でも見事に育てる指導者や指導法というのは存在しない、と私は思います。

じつは、みどりをディレイ先生に引き合わせる前に、フランス人のガブリエル・ブイヨン先生の前で弾かせたことがありました。ブイヨン先生というのは、パリのコンセルヴァトワール（音楽院）の先生で、日本人の留学生も多数教えられた、やはり名伯楽といわれた方でした。

みどりはパガニーニの『カプリス（綺想曲）』とかバッハの『シチリアーノ』を弾いたのですが、弾き終わってから感想を求めると、ブイヨン先生は、この子にはそれらの曲を弾くのは無理だ、とおっしゃいました。テクニックがまったくできていない、音もきれいじゃない、と。

もちろん、どんなに酷評されてもかまわないし、先生が本当にそう思われたなら、正直にいってくださるほうがありがたいわけですが、そのとき私の印象としては、どうもこの先生は、みどりには合わないと思えたのです。

でも、フランスという環境や雰囲気に、私もみどりも憧れを抱いていたこともあって、通訳の人を通して、細かく質問させていただきました。

みどりの演奏を聴いて、教えてみたいと思ったのか……。それとも、教えたくないと思ったのか……。私たちが教えてほしいといえば、教えてくださるのか……。そうしたら、ブイヨン先生の答えは、習いたいというのであれば教えてあげてもよい、というものだったのです。

先生は子どもをほめるべきだ

その答えを聞いて、私は、みどりには合わないと思った印象が、確信に変わりました。当時ブイヨン先生は六十歳を過ぎておられて、お歳も召して頑固《がんこ》にもなられ、せっかちにもなられていたのでしょう。残念ながら、先生の言葉から、子どもに対する愛情を感じることはできませんでした。

やっぱり子どもが相手となると、どんなに悪い点を指摘しても、一つくらいは、お世辞でもいいからほめるべきだと思うのです——などと私がいうと、みどりに、「ママは私をいちどもほめたことがないくせに」と文句をいわれるでしょうが、それは、私が母親だからです。

じっさい、みどりに「いちどもほめられたことがない。いちどくらいほめてほしい」といわれたことがありますが、そのときは、「そんなに、ほめられたいの？ ほめられてうまく弾けるんなら、いくらでもほめてあげるけど……」といいかえしてやりました。それで、お互いに笑って、終わりです。母親と娘なら毎日顔をつきあわせて心が通じ合っていますから、そんな会話もできるわけです。練習やコンサートのあとに、特別ほめる必要もありません。「お疲れさん」で十分です。

でも、先生と生徒、先生と弟子は、そこまで近い関係にはなりません。ましてや初対面で子どもと接したのですから、お世辞でもいいから、ほめ言葉の一つくらい、あるいは、遠いところまで来たことへのねぎらいの感情でも表していただきたかった。ですから、それでもブイヨン先生は大先生なのだから……などとは微塵《みじん》も思わず、たしかに大先生かもしれないし、ほかの子どもにはいいかもしれないけれど、みどりには合わないと判断して、ドロシー・ディレイ先生に会いに行くことにしたのです。

ディレイ先生の教え方

私がディレイ先生を知ったきっかけは、ラジオで偶然シュロモ・ミンツの弾くブルッフの『ヴァイオリン協奏曲』を聴いたことでした。ミンツが、まだデビュー前だったか、デビューした直後だったか、そんな若い時期の演奏でしたが、すごく心に響く音楽というか、ヴァイオリンが歌っていたんですね。それで、ミンツの先生は誰だろうと調べたら、ディレイ先生だったのです。

ディレイ先生は、みどりの演奏を初めて聴かれたとき、彼女のテクニックをまったく否定されませんでした。

子どもの弾くヴァイオリンというのは、楽器自体が小さくて、弓も短いわけです。ですから弓を上下にアップ・ダウンさせるとき（それを「ボウイング」といいます）、ほんとうは、この部分は音楽の流れとしてずっとダウンで弾きたいと思っても、アップにしなければならない場合が出てきます。もちろん、逆の場合もあります。それに、指の力も弱いですから、動かし方も大人の場合とは違う部分が必ず出てきます。

こうしたことは、子どもが成長するにつれて当然変えていかなければならないのですが、いつ、どんなふうに手をつけるかは、やさしい問題ではありません。大人になって、自分の判断で納得して変える部分もありますが、子どものうちに一方の先生にダウンだといわれたのに、別の先生にアップにしろといわれたりすると、子どもは困惑してしまいます。

でも、いずれは変えなければならない……という部分を、ディレイ先生は、まったく問題にされなかった。それまで私がみどりに教えてきたテクニックも、まったく否定されなかったのです。彼女はそのときすでに六十五歳でしたが、ブイヨン先生に感じた頑固さとか、せっかちなところが感じられなかった。

それに、そういうテクニック的な問題よりも、もっと違う点を指摘されました。

表現法というか、伝達法というか、それこそ都はるみさんや森進一さんなどの演歌の世界にも通じる表現のしかた、ヴァイオリンでの歌わせ方というものを重視されていたように思います。

たとえば、どんなに短い楽曲でも、最初から最後まで一本調子ということは、ありえないわけです。どんな音楽にも、いくつかの山がある。クライマックス、聴かせどころ、です。そのいくつかの山を、どう聴かせるか、どう表現して、聴衆にどう伝達するか。そういうことを、ディレイ先生は強調されました。

「自分の思いで弾きなさい」

しかも、その山も、ここが山ですよと教えてくださるのではなく、自分で見つけなさいといわれた。ここに一つめの山があって、次にここに山があって、その二つの山はこの部分でつながっている、というようなことを、楽譜のなかから自分で見つけないといけない。さらに、一つめの山を高くしたほうがいいのか、二つめなのか、三つめなのか、それを見定めて、自分で楽譜にピアノとかフォルテとか、ボウイングのアップとかダウンとかを書き入れていく。

ヴァイオリンの楽譜には、過去のヴァイオリン指導者の大先生が編集されたものがいくつもあります。それをそのままなぞればよいという考え方もあるのですが、ディレイ先生は、それでは不十分だ、「ノット・イナフ」だといわれた。

また先生は、自分の思いで弾きなさい、そして聴きなさい、といわれました。そうしたら、弾いている本人に、必ず疑問が出てきます。ここは、フォルテにしたほうがいいのか、ピアノにしたほうがいいのか……。そこで先生に「どうしたらいいか」と質問すると、逆に「なぜ？」という質問が返ってくる。なぜ、そこをフォルテにしたいか？　なぜ、そこはピアノのほうがいいと思うか？　そんな質問を繰り返されて、なぜかということを自分なりに考えて、これこれこういう理由で、ここをフォルテにして、次をピアノにすれば、二つめの山よりも三つめの山が高くなって……と考えるうちに、その抑揚《よくよう》が自然に一つの流れとなってくるのです。

もちろん、すぐに音楽の流れが理解できるわけではありません。わからない部分が次から次へと出てきます。そこで、この部分をどんなふうに演奏していいか、どうしてもわからない、というと、ディレイ先生は、「じゃあ、図書館へ行ってごらん」とおっしゃる。

「この曲なら、ハイフェッツもパールマンも弾いてるでしょう。ほかにも多くのヴァイオリニストが弾いてるから、オーディオルームでそれを聴いてみなさい。私が、いまあなたに向かって、こんなふうに弾いてみたら、というよりも、あなたがいろいろ聴いてみたなかで、一番いいと思える弾き方が、あなたに合っているはずです」

素晴らしいと思ったものを真似てみる

そこで、図書館へ行って、いろんなヴァイオリニストの演奏を聴きます。前章でお話ししたように、みどりは学校やなにやかやで忙しいものですから、ほとんど私が図書館へ行って、全部チェックする。そして楽譜に書き入れる。テンポはここでどのように動くか、というようなテンポ・チャートや、音はここで大きく、ここは小さく、というようなダイナミック・チャート……。それらを一流のヴァイオリニストの演奏を聴いて書き込む。

同じ曲でも、ヴァイオリニストによって弾き方が全然違いますから、みどりはそのチャートの書かれた楽譜を見ながら、それを次々と真似てみるわけです。すると、一流の音楽家による音楽のとらえ方と、自分が表現したいと思っていたやり方との違いが見えてきます。

先ほども触れたように、ヴァイオリンの楽譜には、過去の大先生が指づかいやボウイング、タイミングなどを書き込んだ楽譜があります。ディレイ先生はそのとおりには弾かせず、まず自分の思いどおりに弾かせ、どうしてもわからないところは一流のヴァイオリニストの演奏を聴いてみろ、とおっしゃるわけです。どっちも「サル真似」といえる行為かもしれませんが、その違いは大きい。

大先生の指示どおりに……というのは、ある意味で、けっして「サル真似」とはいえません。サルには、「大先生」などという考えは存在しません。大先生の考えだからそのようにしなければならない、という義務感もありません。もちろんサルは、一流のヴァイオリニストの演奏だから……とも思わないでしょう。

それに対して、録音を通してじっさいに耳にできる演奏で、素晴らしいと思ったものをそのとおりに真似てみる、というやり方のほうが、より「サル真似」に近いといえるでしょう。

おまけに、LPレコードしかなかったみどりの子どものころとは違って、現在では、DVDによる映像もあります。真似る、そして、学ぶための材料は山ほどあるのです。

「疑問を持ち、考えること」が大切

当たり前のことですが、人間はサルとは違うわけで、なんでもかんでも真似ることはありません。

ほんとうに幼い子どものころは、文字どおりの「サル真似」に近いものかもしれませんが、考える力が身についてくると、考えに考えたうえでわからないから、真似てみようということになります。真似てみて何かをつかんだら、次に別の楽曲を演奏するときは、ほかのヴァイオリニストの演奏を先に全部聴いてみよう、そして真似てみようと思います。すると、そこからさらに疑問が出てくる。いろんな一流のヴァイオリニストが、いろいろに弾いているけれど、どれもしっくりこない。あの部分は、どう弾けばいいのか……。みどりの頭のなかも、いつもクエスチョン・マークだらけでした。

では、そこから先はどうすればいいのか、というのは難しい問題ですが、ここで大事なことは、「サル真似」を通して自分で疑問を持つこと、「サル真似」の結果、自分で考えるようになることだと思います。ディレイ先生は、その疑問を持つこと、考えることを教えてくださったのです。

私も、ヴァイオリンを真剣に学ぶ子どもたちにおおぜい出会いましたが、日本の子どもたちの場合は、疑問を持つという意識が薄いのか、先生に質問するということを考えもしないようですね。

子どもが、どうしても思うように弾けない部分があったりしたとき、私はその子に、先生にその部分を、どんなふうに弾くよう教えられたかと訊《き》きます。フィンガリング（指の動かし方）、ボウイングにしろ、強弱のつけ方にしろ、うまく弾けない部分があったら、まず、これまで習った先生、あるいはいま習っている先生に、どんなふうに教えられたのかを訊くわけです。それは、私が違うことをいって子どもを困らせたくないからでもあり、それまで習ってきた方法で伸ばしてやりたいと思うからでもありますが、ほとんどの子どもが、先生に疑問をぶつけていないのです。

先生に疑問をぶつけないで、うまく弾けないところを何度も何度も繰り返し繰り返し練習して、弾けるようになろうとする。まるで体育会系の運動部の練習のように、というと、最近のスポーツは違う、もっと科学的だといわれるかもしれませんが、指や弓がうまく動かないところは、動くようになるまで繰り返し「猛練習」をしようとする。

練習を繰り返しやることも大切ではあるのですが、なぜここはどうしてもうまく弾けないのか、こうしたほうがいいのか、ああしたほうがいいのか、どうしたらいいのかと、自分で疑問を持ち、考え、試行錯誤して練習し、わからないときは先生に質問するべきです。

積極的に疑問を持つように

みどりに対するディレイ先生の教え方は、常にそういう疑問を持たせ、考えさせるようにもってゆくやり方でした。

たとえば、モーツァルトのソナタを練習していたときなどに、ふと、「モーツァルトがこの音楽を作曲したときは、どんな服を着ていたのかしら、どんな踊りをしていたんでしょう」などといわれる。

こんな服装で、こんなメヌエットを踊っていた、という「答え」は口にされません。質問だけぶつけて、疑問を持つようにし向けて、本人に考えさせる。みどりの場合は本人の代わりに私が図書館へ行って調べ、モーツァルトの時代はこんな服装で、こんな踊りをしていたと、みどりに話したりもしました。そうしたことを繰り返すうちに、彼女のなかに、そういう作曲家の時代背景や環境といったことにも疑問を持たなければならない、知っておかなければならない、という意識が植えつけられるようになりました。

そうして、モーツァルトのレッスンが終わってバッハになったら、やっぱり同じように、バッハの時代の服装は、踊りは、食べ物は……と、先生にいわれるまでもなく、自分から疑問を抱くようになる。そこでまた、みどりは学校の勉強も忙しいので、私が調べて教えることになるのですが、それでよかったと思います。モーツァルトやバッハの時代の背景を知るのも大事ですが、大切なのは、そういう疑問を積極的に抱くことなのです。

大人になってからは、疑問を持てば、自分で調べることができます。でも、まず疑問を持つこと。それがなければ、調べようとすることもなく、知識を得ることにもつながらないのです。

宿題をやらないのは親の責任

これは、ディレイ先生の教え方というだけでなく、一般に日本とアメリカの教育の違いともいえるかもしれません。

龍がニューヨークの公立小学校に通いはじめたときのことです。日本の最近の公立小学校では、宿題がどんどん少なくなって、ほとんど出さない学校もあると聞きますが、アメリカの小学校は、それに比べてずいぶん宿題が出ます。そして、学校の先生は、両親あるいは親戚などの保護者に対して、一緒に手伝ってやってください、というのです。

これには、最初は驚きました。アメリカというのは独立心旺盛《おうせい》というか、自立した個人を育てる国だと思っていましたから、親が積極的に子どもの宿題を手伝うよう勧められたことには、仰天《ぎょうてん》しました。いや、勧められた、という以上に、命じられた、といったほうがいいくらいです。でも、それによって、親子が一緒に道を歩むというか、親子のコミュニケーションが成立するという利点があるのです。

みどりのときは、しかたなしに一緒に勉強をしたり、私が調べたりしたのですが、龍の場合は、学校の先生からいわれて手伝いました。親が全部やってしまってもいいのです。まあ、そんな親はいないでしょうが、日本でいう図画工作、アートの宿題などは、ほとんど私がやりました。なにしろ学校の宿題なんか早く終わらせて、ヴァイオリンの稽古《けいこ》をさせたいと思っていましたから。

小学校のアートの授業は、べつに生徒をプロの絵描きやデザイナーに育てようとしているのではないわけで、子どもが絵をうまく描けるようになることよりも、何か別のことがらにいい影響をおよぼすための基礎になるものです。ですから、親と子にコミュニケーションの生まれるほうが大切なわけです。もちろん、絵を描くことが好きな子どもや、プロの絵描きになりたいと思っている子どもは、自分で一生懸命絵の宿題と取り組むでしょう。親も、一生懸命その後押しをするでしょう。

算数や国語（英語）は、アートよりも世の中で生きるうえで必要なことかもしれません。が、これは必要なことだと親がいいながら一緒にやれば、子どもにも、それが必要なことなんだとわかるでしょう。

ですからアメリカでは、子どもが宿題を提出しないのは、親の責任でもあるのです。

コンクールに出させるということ

私の知っているある作家の方で、中学生の子どもが夏休みの宿題の作文をどうしても書けないというので、だったら、こんなふうに書いてみたら……と、お手本になる原稿を書いた。そうしたら、子どもがその原稿をほとんど直さずに提出し、夏休みの作文コンクールで県知事賞をもらってきた、という話を聞きました。

その方は、「自分の文章は、中学生の県知事賞程度か」と苦笑いされていましたが、どうも日本の教育では、子どものうちからコンクールのような形で子どもを競わせ、評価する傾向が強いように思われます。それ以外に、評価の基準がないのでしょうか。

音楽の世界でも、ピアノやヴァイオリンをお子さんに習わせておられる親御《おやご》さんならご存じでしょうが、ちょっと技術が上達してくると、コンクールに出場するかどうか、という問題に直面します。

みどりも龍も、コンクールには、いっさい出場させていません。というより、みどりの場合は、審査員をやっておられる先生から、この子のような弾き方ではコンクールでの入選は無理だ、といわれました。それは、アメリカへ渡る以前のことです。

アメリカに渡ってディレイ先生に教えていただくようになってからは、先生から「コンクールに出る必要はない」といわれました。「私が聴いて、これでいいといっているのですから、コンクールに出る必要はありません」といわれたのです。

そんなわけで、みどりはコンクールとはまったく縁がないまま今日まで過ごし、龍も同じ道を進みました。

だからコンクールなんて無視すればいい、とは申しません。コンクールのように、順位を競い合う場所や機会のあったほうががんばれる子どももいます。一生懸命練習に打ち込むことができる子どももいます。それがなければ力を十分に出し切れない子どももいるでしょう。そういう子どもたちは、コンクールを目標にがんばればいいと思います。

審査員よりお母さんのほうがわかっている

でも、あらためていうまでもなく、コンクールがすべてではありません。コンクールでの評価で、進路が決まるわけでもない。

コンクールに向かない子どももいます。競争にアレルギーを持ってしまっている子どももいる。日頃はよく弾けているのに、コンクールになると硬くなってしまい、力が発揮《はっき》できない子どももいます。そして入賞できずに、ショックを受けて、せっかく続けていたヴァイオリンやピアノをやめてしまう子どももいる。

現在、兵庫県立芸術文化センターの芸術監督として絶大な人気を得ておられ、指揮者としてヨーロッパでも大活躍しておられる佐渡裕《ゆたか》さんは、もともとフルーティストとして音楽大学に入学されたそうですが、根っからの「あがり性《しょう》」で、ソリストとしてステージに立つと、足が震えて常日頃の演奏ができなかったそうです。

佐渡さんは、龍が七歳のときに札幌でのパシフィック・ミュージック・フェスティバル（PMF）で初めて公のステージに立ち、パガニーニの『ヴァイオリン協奏曲第一番』を演奏したステージで、世界中から集まった若者たちによるPMFオーケストラを指揮してくださった方です。大きな身体をフルに使い、汗を飛ばしながらダイナミックにタクトを振る姿からは、ちょっと想像がつかないのですが、かつては、一人でフルートを演奏するのは、少々……でなく、かなり苦手だったそうです。

だから指揮者に転向された、というわけでもないのでしょうが、人間にはいろいろな性格、向き不向きというものがあるものです。コンクールに向いている子どももいれば、向いていない子どももいる。

そのことが最もよくわかっているのは、コンクールでその子どもの演奏を聴くだけの審査員の先生方ではなく、常日頃から子どもと接触しているお母さんですから（お父さんの場合もあるでしょうが）、お母さん方は、審査員の先生方よりも自分のほうが子どもの性格はよくわかっている、と思っておられるほうがよろしいでしょう。

コンクールには性格がある

音楽の世界では（バレエの世界もそうでしょうが）、日本にかぎらず、世界中でコンクールが目白押しです。

それは、コンクールという文字どおりの競争がおこなわれ、「結果」が目に見える形になって現れたほうが、多くの人々が「理解」しやすいからでしょう。

音楽やバレエや絵画のような表現は、スポーツと違って、「結果」が「勝敗」のようなかたちでは現れません。どのヴァイオリニストが素晴らしいのか、Aというヴァイオリニストなのか、Bというヴァイオリニストなのか、Cか、Dか……と思うときに、Aがコンクール一位で、Bが二位という「結果」があれば、わかりやすい。

ほんとうは「結果」が重要なのではなく、聴く人がそれぞれに、この人の演奏が素晴らしいと思えばいいだけのことなのですが、「コンクール優勝」という肩書がつけば、多くの人が、だったら聴いてみようかという気にもなる。音楽をビジネスにしている方々にとって便利なうえ、若い音楽家にとってもデビューするきっかけにつながる。だから、コンクールはたくさんあって、そのコンクールで入賞すれば一流と呼ばれるような権威のあるものも生まれ、若い学生がそれを目指すのでしょう。

でも、いつの場合も、コンクールでは順位を決めるのは審査員の方々であり、その方々の嗜好《しこう》というか、好き嫌いが出てしまいます。また、コンクールそのものの性格というものもあります。

ドイツのコンクールでは、どうしてもドイツ的というか、重厚で堂々としたオーソドックスな演奏が高く評価されるでしょうし、ほかのコンクールでは、もっと実験的で過去に例のない個性的な演奏が高く評価されるものもある。質的に中味が異なっていても、結果は、「コンクール優勝」「コンクール二位」……「コンクール五位」といった具合に、デジタルな評価としてあらわれます。

だったら、「コンクール上位」の結果を得るために、審査員やコンサートの性格を考えたうえでの演奏を……とか、過去の優勝者の演奏を聴いて、それに似たように……などというのも、おかしな話です。

その意味では、みどりの演奏が子どものコンクールには向かなかったこと（入賞できないといわれたこと）、ディレイ先生にコンクールに出なくていいといわれたこと、そういう姉の道を龍も真似たこと……は、二人にとってよかったと思います。もちろん、子どもによっては、それとは違う道のほうがよい場合もたくさんあると思います。

子どもが「難しい」曲を弾くということ

みどりがニューヨークで「サプライズ・デビュー」した直後、さまざまな批判の声があったと先にお話ししましたが、そのなかで、「サル真似」といわれるとともに多くあった批判が、あんな難しい曲を子どもにやらせて……というものでした。

たしかに、そのことについては、私自身も、これでいいのかな……と思ったことが何度かありました。

みどりも龍も、メンデルスゾーンやチャイコフスキーの『ヴァイオリン協奏曲』は、五歳くらいのときに、課題として弾かせています。それに対して、大人でも「難しい」曲を……といわれれば、たしかにそのとおりかもしれません。

が、そのとき「難しい」という言葉には、二種類の意味があると思います。

ひとつは、「技術的に難しい」こと。そして、もうひとつは、「内容的に難しい」こと、です。

まだまだ指の力もなく、きちんと基本を身につけなければならない幼い年齢のうちに、技術的に複雑な楽曲を演奏させるのは、たしかに無理のあることといえるかもしれません。しかし、子どもの能力を馬鹿にしてはいけません。子どもが吸収する能力、成長する能力というのは、大人や親が想像する以上に高いものです。

子どもには無理……と考えるのは、大人が先入観にとらわれているだけのこと。その先入観から子どもにやらせないでいれば、子どもがやれるのかやれないのかも、わかりません。

何も五歳でメンデルスゾーンやチャイコフスキーの演奏を完成させようというわけではないのです。それらの名曲とは、一生お付き合いをしていくのです。五歳での演奏というのは、その入り口にすぎないのですから、少々音程がおかしくなっても、音符のすべてを弾けなくても、かまわない。五歳なら五歳なりに、一生懸命演奏すればいいのです。

これは、「内容的に難しい」という問題にもつながります。

まだ人生経験も少ない、というより、まったくないといえる幼い子どもに、人間の複雑な感情を表現できるなどとは思っていません。恋愛感情や、人生の苦しみと喜び……なんて、理解できるわけがない。でも、演奏を完成させるのではなく、入り口なんですから、そういう難しい内容は抜きにして、五歳なら五歳なりに演奏すればよい、と私は考えています。

年齢を重ね、名曲と一生お付き合いするうちに、演奏も変化するわけで、変化しなければおかしい。

また逆に、六十歳を越したヴァイオリニストが、モーツァルトが十代のときにつくった作品を演奏したりもするのです。そこまで歳を重ねれば、十代のころの初々《ういうい》しい感情や感性といったものは、ほとんど忘れているでしょう。モーツァルトの初初しい楽曲に対して、技術と経験を駆使《くし》し、知識と理論で解釈した演奏が、名演といわれたりするのですが、はたしてそれが、若きモーツァルトの音楽といえるのかどうか……。

六十歳のモーツァルトがゆるされるのであれば、五歳や十歳のベートーヴェンやチャイコフスキーの存在もゆるされていいのではないでしょうか。

子どもだって名曲を弾きたい

それに、まだ子どもだから、まだ幼いからという理由で、そうした名曲を弾かせないとするなら、どんな曲を弾かせることになるのでしょう。

たしかに、メンデルスゾーンやチャイコフスキー、それにパガニーニの音楽よりも、もっと簡単に見える曲はあります。子ども（用のヴァイオリン）に合った練習曲もあります。そういう練習曲は、子どもが徐々に成長するに従って技術的に高度になるよう、うまく並べられてもいます。

でも、残念なことに、それらの曲は、メンデルスゾーンやチャイコフスキーやパガニーニ、バッハやモーツァルトやベートーヴェンなどの大作曲家が残した音楽にくらべれば、感性という面において、別世界のものといえるでしょう。はっきりいって、そうした名曲よりも、退屈です。子どもが聴いても、すごいな、素晴らしいな、おもしろいな、かっこいいな……と思える曲を、私は与えたいと思うのです。

しかも、名曲の演奏は、かつてはレコードで、いまではＣＤで、いくらでも聴くことができます。「サル真似」することのできる素晴らしいお手本が、いっぱいあります。何度でも、お手本を聴くことができます。それに対して、練習曲や、あまり有名ではない楽曲は、お手本も少ない。先生も、レッスンの間に、何度も何度も繰り返しお手本を示すことはできません。つまり子どもは「サル真似」がなかなかできないのです。

どんどん「大人の曲」を

日本の音楽教育は、成長の「順序」や「段階」というものを重視する傾向があります。それも悪くないのですが、やや形式にとらわれすぎている面があるようにも思います。

たとえば、子どもがピアノを習いはじめると、まずバイエルの練習曲から始まって、それをマスターするとチェルニーの練習曲、そしてソナタ……という順序に従うことが多いようです。でも、べつに、その順序を守らなければならない、という規則など、どこにもありません。外国では、バイエルから入ることのほうが少なく、いろんな曲から始めます。

そういえば、アメリカには自動車教習所というものがなく、免許を持っている人に助手席に座ってもらって、最初から町なかの道路で練習を始めます。日本式の自動車教習というのは、アメリカ人には理解できない。授業を何時間こなすことが重要なのではなくて、自動車が運転できるようになればいい……というわけです。

私が運転を習いはじめたとき、一日目から高速道路を走らされてびっくりしました。そのときも、日本式の練習は何事につけて、形式と義務感に縛《しば》られすぎている面があると感じたものでした。

ディレイ先生は、みどりがどんな曲を練習しようと、何もおっしゃいませんでした。自分が弾きたいと思った曲を弾けばいい、といわれただけで、チャイコフスキーやパガニーニは早すぎるともいわれませんでした。

ですから、最初は私自身にもあった、子どもにはちょっと難しすぎるかな、早すぎるかな、という迷いもまったく吹っ切れて、龍にヴァイオリンを教えたときは、どんどん「大人の曲」を弾かせました。そうしたら、龍も何のこだわりもなく、

「この曲は好き。おもしろい」とか「この曲はちょっと嫌い。おもしろくない」などと生意気なことをいいながらも、次々とステップを前へ進めてゆきました。

それもまた、「サル真似」と批判されたりもしたのですが、もしそうであれば、「サル真似」による子どもの成長というのは、親も驚くほどのスピードとパワーを発揮するものといえそうですね。

「ゆとり」は五十歳からでいい

そうはいっても、幼い子どもが「大人の曲」に挑戦するのは、たいへんな苦労がともないます。しかし、子どものうちは、ほかに仕事があるわけでなく、またややこしい人間関係のお付き合いがあるわけでもなく、その挑戦だけに専念できるのです。自由な時間とか、子どもにゆとりを、という考え方もあるようですが、子どもというのは、けっこう多くの時間を持っているものです。

龍は、ヴァイオリンを弾き、学校の宿題をして、空手の道場にも通い、テレビ・ゲームもし、映画もビデオも観ていました。私は基本的に、子どもに対して「ゆとり」などにこだわる必要性をみとめていません。「ゆとり」が必要になってくるのは五十歳を過ぎてからでしょう。大人のほうが、「ゆとり」を持つべきです。ゆっくりと人生を見つめる時間が必要なはずです。

子どもに「ゆとり」があるにせよないにせよ、思い切り高いレベルに挑戦させるには、子どもだけでなく、親も一緒にチャレンジすることです。お互いをはげまし競争し、高め合う、ときには同志として孤独を分かち合う。そういう親と子の関係こそ、素晴らしいものといえるのではないでしょうか。

第3章
あなたは私の「世界一」

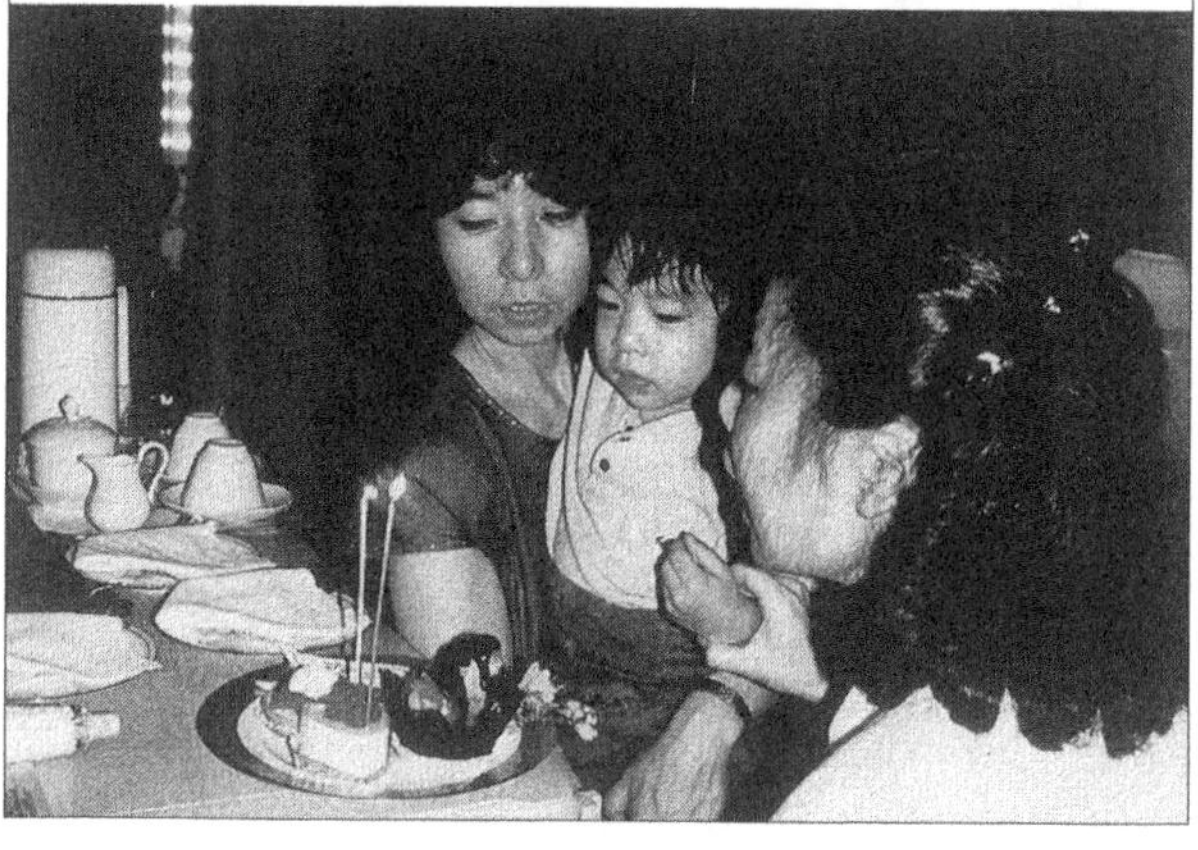

1990年７月、龍２歳の誕生祝い。２人とも「世界一」！

何事にも忍耐力が欠かせない

子どものする「サル真似」というものを否定してはいけない、むしろ積極的に肯定しなければ……ということをお話ししてきましたが、「真似る」という学習の方法には、技術が向上したり、疑問を持つ力や考える力を養うことのほかに、別の素晴らしい効果もふくまれているようです。

きちんと「真似る」ためには、何度も同じ練習を繰り返さなければなりません。そして、何度も同じことを繰り返す過程で、継続する力、そして忍耐力が身につきます。

どんなことをするにしても、忍耐力は欠かすことができません。最近の子どもや若い人は、本を読むことが少なくなったと聞きますが、一冊の本を最初から最後まで読むのにも、忍耐力が必要です。トルストイの『戦争と平和』にしても、ドストエフスキーの『罪と罰』にしても、紫式部の『源氏物語』にしても、いや、それほどの長編ではなくても、古典として昔から知られている本を読破するには、大人にとってもかなりの忍耐力が必要です。退屈で、おもしろくない部分も少なくないでしょう。でも、おもしろくないからといって、途中でやめてしまったら、それまでの労力が無駄になってしまいます。

学校の授業に出るのも、お友だちとの付き合いのうえでも、忍耐力、我慢は必要です。少々の我慢に耐えられないようでは、どんなことにも到達できない、といってても過言ではないでしょう。最近の子どもが本を読まなくなったといわれるのは、活字が嫌いになったという以上に、忍耐力がなくなったのかもしれません。携帯メールなどは、どんどん使っているのですから。

大人も子どもも同じだと思いますが、そのときどきに興味のあるものにだけエネルギーを注ぎ、次からつぎへとその対象を変えていくばかりでは、結局何も身につかなくなってしまうでしょう。

みどりにも龍にも、ヴァイオリンの練習という、子どもにとってはけっして楽しくない、おもしろくない稽古の繰り返しをさせました。それは、もとはといえば、子どもがヴァイオリンに興味を示したからですが、やるからには、きちんと弾けるようにしなければ……と思ったからです。それには退屈な練習も繰り返さなければならない。

メンデルスゾーンやチャイコフスキーの名曲を、幼いときから弾かせたのは、少しでも退屈な練習のなかに、音楽の楽しさを加味したいと思ったからでもありましたが、それでも、できない部分をなんとかできるようになるまでの練習の繰り返しはつらかったでしょう。そんな練習を続けるうちに、音楽が親と子のコミュニケーションの手段となったのは第1章でお話ししたとおりですが、子ども自身にとってよかったと断言できるのは、忍耐力がついたことです。

どんなことでもいい、ひとつのことでいい。それを我慢して続けていれば、忍耐力が養われます。そして、さらに楽しいことに出逢《であ》える、もっとおもしろいことを体験できる、ということもわかるようになります。

「力」がつくというけれど

最近は、「○○力」という言葉をよく耳にします。

昔から「○○力」という言葉の表現はたくさんあって、肉体的には「瞬発力」「持久力」「筋力」「腕力」「体力」「身体能力」……、学習用語としては「学力」「知力」「思考力」「理解力」「読解力」「計算力」「応用力」……。精神的な意味では「気力」「忍耐力」「持続力」「決断力」「精神力」「集中力」……。それ以外にも「想像力」「表現力」「判断力」「生活力」「経済力」「指導力」といった言葉もあります。最近はつかわれなくなりましたが、古くは、「胆力《たんりょく》」「眼力《がんりき》」「心力《しんりょく》」「膂力《りょりょく》」などという言葉もありました。

最近の流行語としては、それらの言葉ではいいあらわせないような人間の「力」として、「人間力」「老人力」「キリカエ力」「鈍感力」といった造語も現れるようになったようです。

そのどれもが、私たちに備わっていたらいいな、と思える「力」ばかりなのでしょうが、それらはほとんどすべてが抽象的な言葉で、肉体に関する言葉以外は、はたしてどのような「力」のことを意味するのか、また、どうすれば身につけることができるのか、文字からはよくわかりません。

「体力」に関していえば、それまで十キロの重さのダンベルを二十回しか持ちあげられなかったのが、二十キロを二十五回できるようになったら、それは向上であり、成長であると判断することができます。が、「思考力」や「精神力」や「決断力」を測ることはなかなか困難です。それらを養うには、具体的に何をどうすればいいのかも、はっきりしません。

古くは「精神力」を養うためには座禅を組むのがいいとか、最近では、いろんな「力」を養うと謳《うた》った電子ゲームが生まれたりもしていますが、はたして座禅を組んで長時間座りつづけることができるようになって、あるいは電子ゲームがうまく操作できるようになって、何の役に立つのか、ほんとうにそれらの「力」が身についたのか、私には、にわかに信じることができません。

ではヴァイオリンをやって、何の役に立つのか、何の意味があるのか、といわれれば、ヴァイオリンを弾けるようになること以外、とりたてて評価できることはありません。ただ、繰り返しの練習を通じて、忍耐力、我慢することのできる力だけは身につけることができる、という程度です。しかし、それは素晴らしいことだと思います。

ヴァイオリンに「体力」は必要か

話が横道にそれたついでに、もう少し本題からはずれたお話をさせていただくと、ヴァイオリニストにかぎらず、音楽家の「体力」というものが、よく感心されたり、高く評価されたりすることがあります。一時間近くもある楽曲を、立ったまま演奏するのはすごい体力ですね、などとよくいわれます。

しかし、じつは感心されるほどの体力をつかうものではありません。バッハの『シャコンヌ』(十二、三分間のソロです)を一曲弾くと、五キロくらい体重が減る、といったヴァイオリニストがいるそうですが、私は、それはちょっとオーバーな表現だと思っています。

最近、そのことについて龍と話をしたのですが、彼も、そんなに体力はつかわない、といっていました。龍は小さいときから空手を習ってますが、とくにヴァイオリンを弾くための体力を身につけるため、というのではありません。ヴァイオリンを弾く体力というのは、ヴァイオリンを弾くことによって身につけることができます。というよりも、それは慣れみたいなものです。

男性の方が、たまに掃除機を使って部屋の掃除をしたら、汗だくになったり、疲れたりするようですが、私たち女性、とりわけ母親は、そんなことで疲れを感じたりはしません。それは、毎日お掃除をすることによって、掃除機のホースを動かすことに慣れているからです。

ヴァイオリンを弾く体力も、それと似ています。一時間近く立ちつづけ、身体を動かしつづけたり、またコンサートで合計二時間くらい演奏すれば、ある程度は体力が消費され、体重が減ることもあるでしょう。だからといって、そのための体力づくりに、スポーツや特別な運動をおこなう必要はまったくありません。じっさい、みどりはこれといった運動を何もしていません。

子どもに打ち込めるものを与える

話をもとに戻しますと、ヴァイオリンの稽古を繰り返しやっていたら、結果的にちょっとは忍耐力、我慢する心も養うことができたかな、というものです。べつに、忍耐力を養うためにヴァイオリンをやらせたわけではありません。

ときどき、うちの子どもは忍耐力がなくて、我慢することができないから、ピアノでも、ヴァイオリンでも、途中でほっぽり出してしまう……と嘆かれる親御《おやご》さんの言葉を聞くことがあります。子どもによって多少の差はあっても、小さいころから忍耐力や我慢を身につけている子どもなんて、いるのでしょうか。子どもは誰でも、すぐに飽きやすく、同じことの繰り返しをいちばん嫌うもの。それが、子どもというものです。

なのに、忍耐力がなかったから、ヴァイオリンやピアノを続けられなかったというのは、本末転倒です。

では、そもそも忍耐力など持ち合わせていない子どもに対して、どのようにしてヴァイオリンやピアノ、あるいは何かほかのお稽古事を継続させることができるのか。それは、繰り返しになりますが、まず第一に、子ども自身が興味を示しているかどうかということ。最初に、「やりたい」という意思表示を子ども自身がしたかどうかということです。それがなければ、続けていくことは無理でしょう。

ただ、スポーツを観戦したり、いっしょに音楽を聴いたりして、子どもが何かに興味を示すように、親がもってゆくことは可能です。そしてそれは、親のつとめだとも思います。

先にお話ししたとおり、みどりと龍の場合は、私もふくめて周囲にヴァイオリンがあり、それに興味を示したので、ヴァイオリンの練習を始めました。が、もしもそういう環境にあってもヴァイオリンにまったく興味を示さなかったり、興味は示したもののしばらくやったあとに、どうしてもやりたくないといいだしたりした場合は、私は、おそらく何かほかの環境を与える努力をしたと思います。

ヴァイオリン以外の楽器か、絵画か、映画、あるいはスポーツか……。子どもが強く興味を示すものは何か、それを探し当てるまで、いろんな環境を与えてみて、何に興味を示すかがわかれば、次にそのための先生を探したり、塾や学校を探したりしたでしょう。何かひとつのことに打ち込まないかぎり、「忍耐力」であれ、さまざまな「○○力」であれ、そういう生きていくための「力」を身につけるのは難しいと思います。

子どもに手を出すとき、出さないとき

さいわいなことに、みどりも龍も、私が教えることのできるヴァイオリンという楽器に興味を示し、現在もそれに打ち込んでいるので、安上がりですんだことは、ありがたかったと思います。

ただ、いったん決めたことについては中途半端なことはイヤだという私の性格もあって、教えるときは、厳しく教えました。もちろん、手が出るときもしょっちゅうでした。蹴っ飛ばしたこともありました。しかし、誤解しないでいただきたいのですが、手が出たり、足が出たりしたことには、すべて理由があります。ヴァイオリンでできない箇所があったとか、なかなか上達しないからといって叩《たた》いたことは一度もありません。

「ママが叩いたときには、必ず理由があった。その理由が、やっとわかってきた」と、最近、龍があるインタヴューで答えていましたが、それがわかってくれて、ほ

んとうにうれしく思っています。

たとえば、幼いころのみどりにも龍にも、何かほかのことを考えているようで稽古に集中できず、だらだら手だけ動かしてヴァイオリンを弾いているようなときがありました。そんなときに、「集中しなさい！」といって手を出すようなことは、絶対にしません。子どもはすぐに頭のなかがあっちへ行ったりこっちへ行ったりするものですから、そんなときに手を出していたら、しょっちゅう叩きつづけなければならないことになってしまいます。

でも、そういう態度でだらだらとヴァイオリンを弾いていて、指や手や腕が基本をはずれた動きになった瞬間には、手が出ます。

それは、幼い子どもが、熱くなったアイロンに触れそうになる瞬間のようなものです。そんなときは、口で注意するどころじゃない。ピシャッと叩きます。子どもが手を引っ込めないと、火傷《やけど》をしてしまいますから。火傷をしてしまったら、それを治すのは大変です。時間もかかります。それといっしょで、いちどついた癖は、直すのには相当の時間が必要になります。叩いてでも、蹴飛ばしてでも、火傷だけはさせたくありません。

子どもを叩く自分の手も痛い

最近、日本では体罰が厳しく戒《いまし》められていますが、ただの一度も手を出さずに子どもをきちんと教育しようとするのは、非常に難しいことだと私は思っています。もしも私の子どもたち、みどりや龍を、指導者の方があらゆる意味で指導してくださるとき、体罰があろうがなかろうが、私は、私の信頼する指導者のなさることには全面的に従うでしょう。叩くというのは、みずからの手も痛いものです。そのときの先生の心中は、察するに余ります。そこまで熱心に指導してくださる先生と出逢えたさいわいを喜ぶべきです。

ところが、体罰について議論されるときは、体罰は是か非か、という「○×式」になってしまい、結論として、暴力はいけないという方向へ話は展開するようです。でも、まさか子どもを傷つけようと暴力をふるう先生など、おられるはずがありません。もしも、そういう先生がいたなら、それは体罰の是非を問う以前の問題で、先生としての適性が問われるべきでしょう。

指導者が子どもに向かって手を出すときは、その瞬間に、そうしなければならない、でないと子どもが火傷をする、という判断のもとでのこと。つまり、あらゆる体罰には理由があり、大前提として、それをおこなう人が「○」と判断しているはずなのです。また、そうでなければならないでしょう。

それに対して、抗議や反論の声が出てくるような場合は、体罰が問題なのではなく、その指導者の心得が理解されていないか、同意を得ていないのではないでしょうか。

あらためていうまでもなく、子どもの心や身体が傷つくほどの体罰は、ゆるされるものではありません。それは体罰でなく、暴力です。体罰は、あくまでも、言葉では伝えきれない部分でこそ生き、子どもが大人になる過程で、身体の「痛み」を通して大切な知恵を学ぶためのものです。

思わず平手で叩いてしまった

最近ではあまり聞かなくなりましたが、「鉄は熱いうちに打て」という諺《ことわざ》があります。私は、子どもを指導するうえでの体罰については、いま述べたように比較的肯定的な考えをしています。が、この諺にはあまりなじめません。

諺とは比喩《ひゆ》であり、「鉄は熱いうちに……」という諺も、「人間は子どものうちに鍛えるほうがいい」というもので、とくに「打つ」ことを奨励しているわけではないでしょう。でも、子どもは、鉄ではありませんから。

とはいっても、指導者の方々も、もちろん私も人間ですから、思わず手を出してしまったあとで、判断を間違えた、と思うときがあります。子どもに対して悪いことをしてしまった、と反省することも何度となくあります。

最近も、龍に対して、そういうことがありました。

あるコンサートが終わった直後のことです。龍は新聞記者などのマスコミの人に囲まれ、インタヴューを受けていました。その態度たるや、許せるものではありませんでした。傲慢《ごうまん》というか、テングというか、ちょっと顎《あご》を突き出して、記者の方々を相手に、横柄な受け応えをしたのです。

その様子を見た瞬間、ここで手を出していいものかどうかなどと考える余裕もなく、「あんた、自分を何様だと思ってるの！」という思いで、バシーンと一発平手で龍の頬《ほお》を叩いてしまいました。

その瞬間、ぞっとした気持ちが全身に走り、我に返るのと同時に、自分の行動を後悔しました。なぜなら、そのとき龍は、すでに高校生です。背も、私より高くなってる。そもそも手を出すというのは、基本的に話の通じない子どもに対してするものであり、中学生にもなれば、話せば理解できるはずです。ましてや高校生で、まわりに記者の方々がおられる前で母親に叩かれたわけですから、彼のプライドは傷ついたと思います。

ですから、私のしたことは、いま考えても、妥当ではありませんでした。ではどうすればよかったのか。そのときの龍の態度は、絶対に許せるものではなかった。私は、その瞬間、自分を失い、ベストの方法が思い浮かばなかったのですが、彼が悪かったのだから、謝る気は毛頭ありません。

身体を通してのメッセージ

まわりにいた人たちは、エゲツナイ母親がまたしゃしゃり出てきた……という程度に思ってくれたみたいでした。私が他人からどんなふうに思われようが、それはどうでもいいことです。批判や非難はみどりのデビュー以来慣れています。が、龍の心が傷つかなかっただろうかと、心を痛めました。さいわい龍も、私の行動を理解したようで、その後もふだんどおりの会話を交わしました。

私のほうは、自己嫌悪と反省。背の高くなった息子に向かって、背伸びまでして叩くというのは、やっぱりやりすぎだったと、いまも思っています。

そういえば、先にお話ししたフィギュアスケートの織田憲子さんと対談したときも、司会の方に誘導されて、体罰について話をさせられました。

でも、織田さんも、子どもを叩くのはまったく当然という前提で話されたので、その是非については、テーマにもなりませんでした。織田さんが息子さんを叩くときは、息子の信成君の気持ちを気遣い、「練習しているときのリンクには女の子も大勢いるので、本人の気持ちを考えて、まわりに人のいないところで、誰にもわからないようにバシンと叩いていた」とおっしゃっていました。

そんな織田さんも、最近息子さんの態度に腹の立つことがあって、信成君のお尻を思いっ切り叩いてしまったことがあったそうです。ところが、気づかないあいだに息子さんの筋肉がすごく発達していて、叩いた手のほうが痛くなり、「もう叩くことはできないな、と思いました」ともおっしゃってました。

しかし、そういう思いも、叩いてみてわかること、叩いてみなければわからないことで、言葉では伝えられない子どもからのメッセージを、母親も身体を通して返してもらった、といえるように思います。

子育てという「ミッション」

子どもに対しては、手も出るし、怒鳴りもする。そんな私のことを、龍が、「ママには、ミッションがある」と表現したことがあります。

龍はアメリカ生まれでアメリカ育ちですから、「ミッション」という英語を自然につかったのですが、キリスト教系の私立学校を指す「ミッション・スクール」とか、映画の『ミッション・インポッシブル』といった言葉で、私たち日本人もよく知っている言葉です。とはいえ、日本語に訳すのは、ちょっと難しい。

英和辞典には、「任務」「使命」「天職」「布教」といった言葉が並んでいます。この龍の言葉を聞いたとき、私には、そんな大袈裟《おおげさ》な……という気持ちと、そうかもしれないな……という両極端のふたつの思いが、浮かびました。

自分の子どもに対して、自分なりに良いと信じる育て方をしてきただけのことで、特別にそれが私の「任務」だとか「使命」だなどと思ったことは、一度もありません。

でも、朝は寝起きの悪い子どもたちをベッドから引きずり出し、ランチをつくって持たせて学校へ送り出し、洗濯をして掃除もし、子どもの服を繕《つくろ》って、ヴァイオリンの練習につき合い、学校の宿題を共に考え……という生活は、「ミッション」というくらいの気合いを持たないとやれるものではない、という気もします。

男性（父親）が外に出て仕事をすることを、「ミッション」（任務・使命・天職）だと感じている人は多いでしょう。女性（母親）も、最近は外へ出て働く人、それを望む人が増え、それを「ミッション」だと感じている人も少なくないと思います。ならば、女性（母親）の多くが携《たずさ》わっている家庭での仕事、家事のなかでもとりわけ「子育て」に、「ミッション」という言葉がつかわれるのは正当でしょう。それどころか、「子育て」という、社会の将来をになう人間を形成する大切な仕事にこそ、「ミッション」という言葉がぴったり、といえるかもしれません。

自分の子だけを思いきり愛して！

私自身、とくに「ミッション」ということを意識して子育てをしてきたわけではありません。が、みどりの生まれた瞬間から、「世界一」という言葉を子どもたちのためだけに使ってきたように思います。

「世界一のヴァイオリニスト」と解釈されてもけっこうですが、ほんとうは私にとっての「世界一」という意味なのです。みどりだけが私の子であったときは、当然、みどりが私にとっての「世界一」。みどりは私のいる世界のなかで一番の存在。

オンリーワンであり、ナンバーワンでもあるのです。誰よりも、自分の娘のみどりが、私にとっては一番です。もちろん、龍が生まれた瞬間からは、私にとっての「世界一」は二人になりました。

これは、どんな親御さんも同じ気持ちだと思います。誰もが、自分の子どもが一番大切。一番可愛い。

私が講演で申し上げることのひとつに、「基本的にご自分の子どもだけを思いきり愛して、自分の子どもだけを見つめてください」ということがあります。ここは、声を張り上げ、迷いなく、大上段から申し上げることにしています。すると会場は一瞬、空気がとまります。

でも、自分の子どもだけを思いきり愛する、そうすればおのずと、よそのお子さんがその親にとってどのような存在なのか、ということが、いやがおうにもわかります。

テレビのニュースなどに横田めぐみさんの御両親が出演されるのを見ると、私は涙が止まらなくなります。これまでのご苦労の詳細や政治的な問題はよく知りませんが、一番大切なお子さんを拉致され、連れ去られ、親御さんにとっての「世界一」の存在を目の前から失ってしまったという事実。それを想像するだけで、気が変になりそうになります。泳いででも探しに行きたい。娘の安否を知りたい。ご両親の、長くつらい日々を、何となぐさめしたらよいのか……。

私は、みどりに向かって毎晩、「おやすみ。みどりは世界一」と必ず口にしました。

もっとも、みどりがまだ幼いときは、その「世界一」という言葉の意味が理解できなかったのでしょう、大笑いするような出来事を思い出します。

それは、みどりが六歳くらいでステージに立って演奏したときのことでした。ある親戚のおじさんが、みどりの演奏が終わるやいなや、みどりに向かって、「日本一！」と叫んだのです。

楽屋に戻ると、みどりが、私にささやきました。「ママは、みどりを世界一だといってくれるのに、おじさんは、日本一といってるよ」

私は思わず吹き出しましたが、相手は子どもですから、「ママが世界一だといってるから、それでいいの」とだけいっておきました。

大きな目標のほうが楽しい

こういう少々大袈裟な言葉のつかい方を、ある人から「関西的」といわれたことがあります。なるほど、そうかもしれません。

関東、とくに東京近郊の方は、思慮深いのか、遠慮深いのか、あるいは恥じらいがあるのか知りませんが、「世界一」などという言葉は、あまり口になさらない。ましてや自分の子どもに向かって「おまえは世界一だ」などとは、滅多にいわないそうです。どう考えても「世界一でない」ことは事実なのですから。

でも、一般に関西人は、大袈裟な表現を威勢よく、思いつきのように口にします。買い物をした子どもに百円玉のおつりを渡すときなど、「ハイ、おつり、百万円！」という人がたくさんいます。宝くじ売り場で買ったばかりの宝くじを落とした人を見つけたとしたら、関東の人なら「宝くじ、落としましたよ」というだけですが、関西では「おいおい、一億円、落としたらあかんがな」なんて。

これらは冗談とわかりますが、冗談なのか冗談でないのか、本気なのか出鱈目《でたらめ》の口から出まかせなのか、少し前には「末は博士か大臣か」という言葉を自分の子にまで使ったものです。いまでも、「大人になったら何になりたい？　社長か？　総理大臣か？」という言い方は、べつに珍しいものではないでしょう。

その言葉は、冗談といえば冗談で、べつに社長になれなくても、総理大臣になれなくても、どうでもいいわけですが、なれたらなれたで、「バンザイ！」です。それが素晴らしいことといえるかどうかは、また別問題ですが。

私も、龍に同じような言葉をいったことがあります。「あんたでも、一生懸命がんばって勉強したら、ガバナー（州知事）くらいにはなれるかもわからんな。ほんとは大統領の実力あるけど」

国籍と移民法の関係から大統領は不可能だけど、ガバナーならおおいに可能――と、そういったわけです。もちろん、だからガバナーめざしてがんばれ、といっているのではありません。学校の勉強も、先にお話ししたとおり、ぼちぼちやってればいい。ただし留年だけはしないように、としかいいません。授業料がかかりますから。

しかし、この関西人的表現（といっていいのかどうかわかりませんが）は、けっして悪いものではないようにも思います。

二〇〇六年のことでしたか、父親が長男を医者にしようと勉強をさせ、それに反発した息子が家に放火して継母と弟、妹が亡くなるという悲惨な事件がありました。それは関西にお住まいの方でしたが、いまお話ししたような意味で、関西的な出来事ではありませんでした。これは私の想像ですが、息子に向かって「医者になるために成績を上げないといけない」といっておられたお父様は、おそらく「世界一の医者に……」とか、「シュヴァイツァーのように……」「野口英世のように……」とはおっしゃらなかったのではないかと思います。

堅苦しい現実的な目標でなく、どうせ口にするのであれば、冗談に聞こえるくらい大きい目標のほうが楽しいし、結果的にその目標に到達できなくても、暗くならずにすみますから。

「世界一」という言葉を誤解した幼いときのみどりも、いまでは「あなたは私の世界一」という私の真意をわかってくれているでしょう。

「世界一」に代わる龍への言葉

みどりに向かって「世界一」といいつづけたあと、龍が生まれたときは、ちょっと考えてしまいました。

子どもが二人になると、「世界一」という言葉が適当かどうか……。「私の世界」のなかでの、ある意味で自分勝手な独りよがりな考えですから、「世界一」が二人いても全然かまわないのですが、みどりに向かってさんざん口にした言葉を龍にもつかうというのは、ちょっと抵抗がありました。そこで、しばらく考え込んでしまいました。

「ママはミッションを持ってる」というのは、龍が口にした言葉ですが、たしかに私には、そういう使命感というか、自分を縛《しば》る規則のようなものをつくりたがる性癖があるのかもしれません。もともとがなまけ者を自認していますから、そんな自分を縛るためにも。

私には、若いときから、毎晩、ふとんの中で、明日はこれとこれとこれをやろう、と確認する癖があります。映画を見に行ったり買い物に行ったりといった他愛ないこともふくまれるのですが、明日することをともかく確認しておかないと熟睡できないのです。それは、自分が弱い性格だとわかっているからだと思います。意志が弱いから、自分のやることをきちんと確認しておかないと、ずるずると何もしないで終わってしまう。われながら情けないのですが。

そんな性格ですから、みどりに向かっていいつづけた「世界一」という言葉に代わる言葉が、龍に対してもほしかったのです。

そうして思いついたのが、「私はあなたに跪《ひざまず》く」という言葉でした。いつの日か、私は、あなたに跪く。

これも、また、エライ大層で、エライ大袈裟で、エライ大仰《おおぎょう》な言葉で……と、とつぜん関西弁になってしまいますが、誤解していただきたくないのは、何も、私が跪いて拝むほどの偉大な人間になってほしいと思ったわけではありません。

何をやってくれてもいい、どんな職業についてくれてもいい、社会的に評価されようがされまいが、かまわない。でも、母親の私が、心から跪けるような人間に……ということです。

ここで「……」で表したところは、自分の気持ちを表現するのが難しくて、「……」でごまかさせていただいたのです。そういう人間に「なってほしい」というのではない。希望や期待ではない。そういう人間に「なる」「する」と言い切るのが、ほんとうの私の気持ちなのです。でも、それは、人様にお話しするうえでは、あまりに傲慢かもしれない。だからごまかさせていただきました。

しかし、「……になる」「……にする」と断言し、それを信じるものでなければ、「なれない」し、「できない」と思います。

龍がデビューした札幌でのパシフィック・ミュージック・フェスティバル（PMF）を創設し、『ウエスト・サイド・ストーリー』などの作曲者でもあり、偉大な指揮者でもあり、ピアニストでもあり、教育者でもあったレナード・バーンスタインは、みどりも何度も協演させていただいた素晴らしい二十世紀の大音楽家ですが、そんな彼も、第一回目のPMFの開会式で、次のような言葉を残しました。

「音楽家になりたい、と思っている人は大勢います。でも、そういう人は、音楽家になれない。音楽家になる、と決めている人だけが音楽家になれるのです」

「天才少女の弟」に気をつかった

みどりは三十歳を過ぎ、龍も大学生になりましたが、母親の私の目から見れば、欠点ばかりが目につき、不満だらけです。とくに龍は、どなたのお子さんも成長過程ですることは、全部といっていいほどしています。

母親としてほめてやれることなど、まったくありません。それでも、何かひとつくらい……と探せば、たったひとつだけありました。

それは、みどりにも龍にも共通する、やさしさです。心が、やさしい。

みどりが、私の目から見れば何のとりえもない犬を一生懸命可愛がったことは、先にお話ししましたが、龍も、映画やテレビ・ドラマを見たときの反応とか、学校の友だちと接するときの様子などを見ていると、思いやりがあるというか、私が首をかしげるくらいやさしい反応をします。

厳しい母親にビシバシ育てられて、どうしてこんなやさしい子どもになったのか。私が反面教師になったのか。母親の前で萎縮《いしゅく》しているわけではありません。おとなしいというのではなく、やさしい。それだけは、高く評価したい。

みどりを育てたときは、もう、てんやわんやとでもいえばいいのか、とくにアメリカへ渡ってからというものは、慣れない環境のなかで、私も彼女と一緒になって一生懸命動きまわったわけで、とくに子育てで気をつけたこととか、気をつかう余裕もありませんでした。

が、龍を育てたときは、環境もちがって、そうはいきません。

まず、少々悩んだことは、みどりとの関係でした。龍が生まれたとき、十七歳のみどりはすでにヴァイオリニストとしてデビューしていて、「天才少女」などといわれたりもしていましたから、そのことで龍にプレッシャーがかかったり、心がねじれたりすることだけはないように、気をつかいました。

しかし、すごくラッキーだったのは、小学校に通いはじめたころから、彼に大勢の友だちができ、その友だちが非常にナチュラルな子どもたちだったことです。

龍もふくめた悪ガキどもが、わが家で遊んでいるときにも、みどりは、次のコンサートのための練習をはじめたりします。すると友だちのひとりが、「ノイジー！（うるさいなあ！）」といって、練習している部屋のドアを閉めに行きます。その様子を見て、私は思わず笑いましたが、これはいいな、と思いました。

それは、子どもとして、すごく自然で素直な反応です。みどりも、ドアを閉められたからといって、練習できなくなるわけではない。「すごい演奏だな」とか、「おまえのお姉ちゃんすごいんだな」などという子どもがいなかったことには感謝しています。

そのうえ、龍が中学に入学するときに、ちょっとしたおもしろいことを経験しました。

入学の書類に、家族の経歴や職業を書き入れる欄があります。私は「Housewife（主婦）」としか書くことがないのですが、そういうときはやっぱり印象をよくもしたいですから、家族欄の姉のところに、少しばかり目立つように「MIDORI」と書いたのです。

すると親子面接のときの先生が、その文字に反応してくれました。「オー！　ミドリィー！　グレイト！」というわけです。そして、あの有名なみどりなら私もよく知ってる、素晴らしいパフォーマンスだ、といったことをさんざんしゃべったあとで、「ミドリ・イトー！」といったのです。フィギュアスケートの伊藤みどりさんのことだったのです。思わず「ガクッ」となりました。

もちろん、名前を間違えられては困りますから、私たちは「イトー」ではなく、「ゴトー」だと訂正しましたが、その瞬間から面接の先生の過剰な反応は消えてしまいました。そして帰り道を並んで歩きながら、龍と一緒に大笑いしました。「あの先生、伊藤みどりは知ってても、五嶋みどりは知らんで。お姉ちゃんも、そんなもんやで……」

これも、龍にとっては、忘れられない思い出となるでしょう。面接にあたってくれた先生に感謝しながら、思い出してはニンマリしています。

親子の会話は日本語で

もうひとつ、龍を育てるときに気をつかったのは、家で話す言葉は日本語だけ、ということです。

ニューヨークで生まれ、育ってゆく龍は、放っておいても英語が日常語になります。私もアメリカ生活が長くなって、少しは英語を話せるようになっていたとはいえ、やっぱり細かいニュアンスとか、詳しい表現は稚拙《ちせつ》で、英語能力は（ケンカのとき以外では）まだまだ不充分でした。

まもなく英語が母語となる龍と、日本語を話す私のあいだのコミュニケーションが、どうしてもぎくしゃくしてしまうのは火を見るよりも明らかでした。私が見た日本の映画や本を、龍がよく理解できないというのは、お互いに寂しいものです。それに、親と子の直接の会話が十分には理解し合えないなんて、耐えられないことです。

だったら親子のコミュニケーションをとるためには、私が英語を勉強しなおすか、子どもに日本語を植えつけるか、そのどちらかしかないわけですが、その選択には、悩むことも、考えることもありませんでした。子どもの言語習得能力が大人よりずっとまさっていることも、火を見るよりも明らかなことですから。

そうして、龍は、学校など、家の外では英語、家では日本語という生活のなかで、ごくごく自然にバイリンガルになりました。

ただ、彼が十歳になるまでは、私がつかった日本語は、関西弁ではありません。言葉もイントネーションも、わざと共通語を使いました。みどりのときも同じです。子どもが小学生のあいだは、関西弁は極力避けました。

ふたりが中学生以上になってからは、もうベタベタの関西弁で、「あほやなぁ」とか「ボケやなぁ」とかいっていますし、関西弁には関西弁ならではの人情味ある素晴らしいニュアンスがあることもわかっています。でも子どもが小さいうちは、私のベタベタの関西弁がそのまま受け継がれて、人前で「あかんわぁ」とか「しゃあないわぁ」などと子どもたちが口にするようになると、相手によっては生意気にもだらしなくも感じられかねないと思い、それだけは気をつかうようにしました。

もっとも、私の口にした共通語がほんとうにきちんとした共通語といえるのか、ましてやきれいな日本語といえるのかどうか、まったく自信はありませんが。

目の前のことに一生懸命に取り組むだけ

「ミッション」という言葉まで持ち出して、自分の「子育て」について話させていただいたのですが、具体的に子どもに対して気をつかったことといえば、いまお話ししたようなことくらいしかありません。龍が、姉のみどりの存在をプレッシャーと感じないこと、龍が日本語もきちんと話せるようになること、龍もみどりも共通語で話せるようになること。それくらいです。

それ以外のことは、目の前にある課題というか、日常の出来事に一生懸命取り組んだだけです。ヴァイオリンの稽古、学校の勉強、宿題、そして龍は、空手……。それらと一生懸命取り組んだ。一生懸命、子どもと一緒にした。それだけです。

その意味では、夜寝る前に明日やることを確認するような性格にもかかわらず、子育てについては計画的だったとはいえません。なりゆきでここまで来てしまった、というのが正直なところです。失敗した、と思うこともたくさんあります。

だからといって、後悔はしていません。もうひとり子どもができたとしても、きっと同じことをするでしょう。それしか私にはできないわけですが、子どもを育てるうえで、目標を設定したり、計画を立てたり、それを実行に移そうとしたりすれば、計画どおりに行かなかったときのショックが大きいと思います。また、計画どおりにいかなかったものを、立て直す苦労も大きいはずです。

いま、私の二人の子どもは、さいわいにしてヴァイオリニストとして何とかステージに立ち、拍手をいただくような存在になりました。が、それが目標であったわけでもなければ、そうなるために計画したわけでもありません。目の前にあることに取り組んできたら、こうなったというだけの話です。また、今日はそうでも、明日はどうなるかわかりません。これからもずっと、目の前にあることに一生懸命取り組むだけです。

ただ、心の底では、みどりに対しては「あんたは私の世界一」、龍に対しては「私はあんたに跪く」とだけは、思いつづけるでしょう。

第4章
過保護のどこが悪いのか？

（左）みどり16歳のころ　（右）龍2歳のとき公園で

結果は重要なことではない

ここまでお読みくださった読者のみなさんに、ご理解いただけたかどうか、私の話があっちへ飛んだりこっちへ飛んだりしてしまうものですから、少々不安なのですが、私は、けっして、みどりや龍を世界的なヴァイオリニスト、超一流の音楽家に育てようとしてやってきたわけではありません。

やるからには、きちんとやらせたい、でも、その結果としてどうなるかは、それほど重要なことではないのです。

みどりも龍も、みなさまから拍手をいただけるようなステージ活動ができるようにもなりました。が、みどりや龍くらいにヴァイオリンを弾くことのできるヴァイオリニストは、世界中に山ほどいます。同じ年齢か、もっと下の年齢でも、いまのみどりや龍くらいに弾きこなせる若者や子どもは、大勢いるはずです。

そんななかで、みどりや龍がステージに立って演奏もでき、注目されもするのは、多くのファンのみなさんのおかげであり、スタッフのみなさんが努力し、苦労してくださったおかげです。そのご声援や、ご努力とご苦労に対しては、母親としてほんとうに感謝の気持ちでいっぱいです。が、それでもいわせていただくなら、みどりや龍がヴァイオリニストという立場を放棄しても、私は、かまわないと思っています。

みどりや龍のヴァイオリンの技量が伸びず、ステージや録音の話もこず、もっとわかりやすくいえば、世界のファースト・グループの存在でなくセカンド・グループやサード・グループにとどまったとしても、それはそれで、べつに悔やんだりはしません。健康で、親子が楽しく暮らせれば、それにまさるものはありません。

必死になってファースト・グループを目指させたり、世界の音楽界から認められないからといって、頭を抱えたりするようなことはないでしょう。もちろん、一生懸命ヴァイオリンの稽古を続けてほしいのは私の本音ですが、だからといって、一流を目指せ！　なんて思わない。そんなものは、目標でもなんでもないのです。

ほんとうは音楽が好きではない

だったらヴァイオリンをやらせているうえでの目標は何なのか、と訊かれると、少々たじろいでしまいますが、ヴァイオリンも音楽も好きならいいけれど、もっと大事なことがありますよね、といいたくなります。

私は、じつは音楽というものがあまり好きではありません。音楽とはなんと素晴らしいものだ、とは思います。でも、あまり好きではない。

小さいころからずっと音楽というものがあまりにも近くに存在しつづけたからなのかどうか、理由はよくわかりませんが、音楽が好き、と思ったことは、これまでに一度もなく、音楽を聴くことよりも映画を観ることのほうが好きですし、美味《おい》しいものを食べることのほうがずっと好きです。それに、掃除をすることのほうが好き。掃除をすれば、部屋がきれいになって気分もすっきりします。どんなに見事な演奏でも、音楽からは、そういうすっきりした気分を味わうことができません。

卓越した演奏を耳にすると、この演奏はすごいな、このヴァイオリニストは超人的だ、と思うことはあっても、いいなあ……と思って気分が癒《い》やされたり、感激して涙が出たり、ということはありません。ほんとうに、音楽を好きだと思ったこと、思えたことが、一度もないのです。

ですから……というわけではないのでしょうが、みどりや龍にも、素晴らしい音楽家になれ、とか、世界一のヴァイオリニストを目指せ、とか、演奏を完成しろ、なんて思いません。はっきりいうと、世界一の音楽家がなんぼのもんじゃい、と私は思っています。もっといいことがあるはずだ、と思っているのです。

フリッツ・クライスラーの境地に

これは、龍のコンサートをおさめたDVDのなかでも話したことですが、かつてフリッツ・クライスラー（一八七五～一九六二）という大ヴァイオリニストがいました。ヴァイオリンのための素晴らしい小品を、数多く残した作曲家でもある人ですが、彼の演奏会では、彼がヴァイオリンを弾かなくても、ステージに登場して微笑《ほほえ》んだだけで、聴衆の心がなごみ、感動したそうです。

それは、クライスラーの気高い人格とか、人間としての品格といえるものの成せるわざだったと思います。それほどの人物ですから、私は録音でしか聴いたことがありませんが、もちろんヴァイオリンの演奏も素晴らしい。作曲した作品も美しいものばかりです。

　そんな境地にまで至るのは、ほんとうに難しいことであり、いったいどのようにすれば、そんなふうになれるのか、想像すらできません。せいぜい、他人を思いやる心を持ち、日常生活をきちんとおこない……といったことが思いつく程度です。でも、みどりも龍も、せっかくヴァイオリンをやってきたなら、そういうヴァイオリニストになってくれれば嬉しい。ステージに出てくるときの歩く姿だけで、あるいは、ヴァイオリンを構えた姿勢だけで、弓を動かそうとする瞬間だけで、その場にいる人たちの心がほっとなごみ、癒やされる、そんな演奏家になってほしい、と思っているのです。

　幼いときからヴァイオリンをさせてきたのも、つまるところは、そういうヴァイオリニスト、という以上に、そういう人間になってほしいと思って、続けてきたのです。

こんな言い方をすると、子どもを叩いて蹴飛ばして叱りとばして教えてきたヤツが、いまごろ何をいいだすのか……なんて思われるでしょうが、厳しくしたことにはひとつひとつ理由があった、というのは、前の章でお話ししたとおりです。

その時々は、ヴァイオリンをきちんと演奏させるため、基礎を身につけさせるため、あるいは課題にしている音楽を完成させるため、厳しくもやってきましたが、ヴァイオリンや音楽のほうが子どもよりも大事だと思ったことなど、ただの一度もありません。ヴァイオリンをやらせるため、音楽を完成させるため、子どもの心を歪《ゆが》めたり傷つけたりするのは、本末転倒というものです。また、歪んだ心や、傷ついた心では、聴く人を感動させる演奏も不可能でしょう。

技術はあっても心に響かない演奏

音楽家を目指す若い人のコンクールなどで、ときおり、技術的には驚くほど素晴らしいのに、なんだか印象に残らない演奏に接することがあります。演奏は素晴らしいに違いないのだけれど、心に響いてこない。

ヴァイオリンにしろピアノにしろ、またほかの楽器にしろ、ミスもなく、楽譜に書かれている音符はきちんと音に出し、難しい指の動きも難なくこなし、音もよく響いている。ここまで到達するのにどれほどの努力の積み重ねがあっただろうと感心しつつも、「うーん」と感じられるものがない。ほかの聴衆がどう思っているかは知りませんが。

技術ばかりが印象に残ってしまうのは、何かが欠けているとしか思えない。「音楽表現」というのは、たしかに技術が基本で、テクニックがすべてといえる面もあります。聴衆を感動させるのにも、心を込めて演奏すればいい、というものではありません。そもそも「心を込める」というのは、どうすればいいのか、よくわからない。ですから、ここはピアニッシモで、弦の速度をアップ(上げ弓)、次にフォルテで力強くダウン(下げ弓)……といった技術の巧拙《こうせつ》が、聴衆を感動させることができるかどうかに直結します。楽譜に書かれた音符のすべてを、どんなに速いテンポでも、一音一音きちんと響かせるように指を動かすことができるか、といった技術は、けっしてなおざりにはできません。

ただし、そのとき、何を「表現」するのか、何を「表現」したいのか、という意識があるかないか、ということが、演奏を大きく左右します。という以上に、演奏のしかた（技術の使い方）を大きく左右し、「表現」を大きく左右するわけです。

この「表現」という言葉についての意識が、おそらく、「プロ」と「アマチュア」を分けるポイントといえるかもしれません。

不器用なほうが長続きする

何度もお話ししましたが、子どもは千差万別《せんさばんべつ》で、それぞれに個性があります。

みどりは、かなり不器用な子どもで、ちょっと指の動きが難しくなると、何度練習を繰り返してもうまくいかないときが、数え切れないくらいありました。逆に、そういう箇所を、簡単にさらりとやってのける子どももいます。じっさいに、そういう子どもに何人か出逢い、こういうセンスをみどりも身につけてくれていたらいいのになぁ、と思ったものです。

ところが、そういう子どもにかぎって、練習を繰り返さないことが多い。さらり

とやってのけられるものですから、それで、できたと思ってしまう。子どもだから
しかたのない面もあるのですが、まだまだその技術が自分のものになっていないと
いう考えを持てない。いくら私が、いまのところをもう一度、といっても、繰り返
そうとしない。一度できたら、あとはいいかげんにやる。足を蹴飛ばして、きちん
とやりなさいというと、いやいやする。そして、さらりとやってのける。

しかし、こういう子どもは、さらに難しい曲に挑戦するようになって、さらりと
はできなくなったときに、大きな壁にぶつかってしまうことが多いのです。

それまで、苦労せずに難なく弾きこなしてきたものですから、いったん弾けなく
なったときの精神的ショックも大きい。それを弾けるようになる苦労のしかたも、
努力のしかたもわからない。ショックから立ち直る方法もわからない。しかも、そ
ういう器用にやってのける子どものほうが、頭の良い子が多く、自分ができないこ
とに理屈をつける。この曲は自分に向いてない。そもそも自分はヴァイオリンに向
いてなかった、などと……。そこで、ヴァイオリンそのものが嫌いになる。

そういうケースを何人か見ていると、不器用な子どものほうが、何をやらせても

長続きするのかな、とも思います。プロになってステージに立つようにまでなれるか、アマチュアのまま自分で楽しむにとどまるか、というのは、また別問題ですが、不器用な子どもは、子どものうちに苦労を重ねますから、精神的にも鍛えられます。

どんなジャンルでも、大人になって「一流」と認められている人は、子どものときにそういう苦労をたくさん積み重ねたのではないかと私は思います。

「やめたい」と苦しむときは必ずある

最近は、ヴァイオリニストやピアニストの方でも、子どものころからヴァイオリンやピアノを弾くのが大好きでした、と口にする人が多いように思いますが、そういう発言を聞くたびに、ほんと？　と思ってしまいます。好きだから、苦労だとも思わず、苦しむこともなく、楽しんで練習をして、ステージにも立つようになって……なんて、私にはとうてい信じることができません。

その過程では、いろんな苦労があったはずです。好きで、楽しんで……という言葉だけでは、それを聞いた子どもたちが、誤解しかねません。第3章でも述べましたように、退屈な練習を繰り返すのは、子どもにとっては苦しいものなのですから。

ヴァイオリンやピアノだけでなく、スポーツや勉強など、どんなジャンルのことでも、最初は好きだったものが、大嫌いに思えるくらい苦しいときがあったはずです。その苦労話を、涙の物語を、語って聞かせろというわけではけっしてありませんが、好きで、楽しんで……というだけでは、ステージに立つほどにまで、なれるはずがありません。

他人から注目されるような立場に立つようになった人には、好きで、楽しんで……というだけでなく、笑顔でさらりとでもいいですから、苦しむこともありましたよ、ということを、それを聞いている子どもたちのために、教えてやってほしいと思います。

また、最近ある新聞を読んでいたら、子どもに関する相談のコーナーで、お稽古事は親が押しつけず、子どもの好きなようにやらせなさい、というアドバイスが書かれていて、私は思わず「ウッソー」と口に出してしまいました。そういう安易なアドバイスは書いてほしくない。

子どもは、最初は「好きだから」というきっかけで何かを始めます。でも、その好きなものを続けているうちに、途中で絶対に、それを嫌いになるときが訪れます。やめたい、やめよう、と思うときが必ず来ます。そういう気持ちは、何度も心の底から湧いてきます。子どもを持つくらいの大人になった方なら、誰でも経験がおありでしょう。でも、そこで嫌いになったからといってやめてしまえば、それまでです。

やめるのは簡単、継続は難しい。しかし「継続は力」です。難しいことをやらないと、子どもの心は育たない。もちろんそれは、大人にも当てはまることでしょうが。

プロになる子どもが持っている雰囲気

もっとも、我慢してひとつのことをやり続けたからといって、誰もが一流になれるわけではありません。ヴァイオリンをどれだけ続けても、ステージに立てるプロになれるとは限らない。

「表現」するという意識があるかないか、というのが、プロとアマチュアの大きな分かれ目だと、先ほどいいました。

無意識のうちにも何かを「表現」して伝えたいという気持ちがあるかないか、あるいは、自分を「表現」したい、自分を見せたい、自分を出したい、という気持ちが、にじみ出ているかどうか……。

技術の進歩が「天才的に」早い子どもでも、また、不器用だけれども努力する子どもでも、何かを表現しようという意識、もっともっと表現したいという態度、そういう雰囲気が感じられない子どもは、プロに向いているとはいえません。いずれプロとして人前に立つようになる子どもは、多かれ少なかれ、そういう雰囲気を持っているものです。

わかりやすくいうなら、「出たがり」で「目立ちたがり」です。それはべつに、うるさいほどしゃしゃり出てくるような子どもという意味ではなく、おとなしく控えめに見えても、心の底にそういう気持ちを持っていることが感じられる子どもはいます。だからといって、そういう子どもなら誰でもプロになれるわけでもありませんが、そういう子どもでないとプロにまでなることは難しいでしょう。

自分自身を「押し出す」雰囲気を持っているか

「表現」という言葉は、英語で「エクスプレッション(expression)」といいます。「エクス(ex)」というのは「外部(に)」という意味で、その部分が、正反対の意味の「内部(に)=(インin/im)」に変わると、「インプレッション(impression)」となります。日本語では、「印象」「感じ」「感銘」「感動」といった意味です。

つまり、「何か」を外へ押し出す(プレスする)のが「表現」で、「何か」を内側に受け入れるのが「感動」というわけです。

私なんかが英語の解説をするのは口はばったく厚かましいのですが、それを承知でもう少し続けさせていただくと、日本語の「表現」を表す英語には、「プレゼンテーション(presentation)」という言葉もあります。

この言葉は、「プレゼント」から生まれた言葉ですから、贈り物の「贈呈」とか、何かを「提出」するといった意味のほかに、芝居の「上演」、人の「紹介」といった意味もあります。日本では、「プレゼン」と短くして企業（とくに広告業界）で企画を提出するときにつかわれることが多いようですね。

「プレゼンテーション」という言葉は、アメリカでは、「あのニュースキャスターは、プレゼンテーションに優れている」といったつかわれ方がされます。このときは、ニュースの「紹介」がうまい、という意味ではなく、キャスター本人の「存在感」を表します。

日本語にも堪能《たんのう》なあるアメリカ人は、この「プレゼンテーション」を、「押し出し」と翻訳しました。「あの人物は押し出しがよい」といった具合につかわれ、「恰《かっ》幅《ぷく》」とか「態度が目立つ」という意味での「押し出し」です。

そのように、「何か」を外へ向かって表現したい（押し出したい）と思う「エクスプレッション」とか、自分自身を押し出す「プレゼンテーション」という言葉で表される雰囲気を持っているかどうか。それがプロとアマチュアを分けるポイントのように思えます。

そういう雰囲気を持っている子どもは、少々技術的な進歩が遅くて不器用でも、プロになれる可能性があります。また、そういう子どもは、何もヴァイオリンにかぎらず、何かの表現者としてプロになれる可能性もあると思います。

カタリナ・ヴィットの素晴らしさ

先ほど、技術的には素晴らしいと思えるけれど、どこか印象に残らない演奏をする子どもがいる……というお話をしましたが、そういうお子さんは、この「エクスプレッション」と「プレゼンテーション」に欠けているのでしょう。それで、技術ばかりが際立《きわだ》って印象に残ってしまう。

私はフィギュアスケートが大好きで、オリンピックや世界選手権のテレビ中継は可能なかぎり見ていますが、これまでに最も心打たれたフィギュアスケーターは、カタリナ・ヴィットでした。

女子シングルの旧東ドイツの代表選手として、十八歳と二十二歳のときに冬季オリンピック二連覇（一九八四年サラエボ大会・八八年カルガリー大会）を果たしたほか、世界選手権でも四度も優勝した素晴らしい選手でした。彼女の特徴は、技術点はさほどでもないのですが、芸術点が高いことでした。

女子の技術レベルが上がって、三回転半のジャンプが競われるようになったなかで、彼女のジャンプは三回転でしたが、その美しさと優雅さ、音楽と一体化した全体の作品としての見事さで勝負し、それが評価されたのです。『カルメン』の音楽にのって真紅と黒のコスチュームで舞った彼女の演技は、斬新でドラマチックで、競技を超越した芸術の世界そのものでした。その演技があまりにも素晴らしかったので、プロ転向後には、『カルメン・オン・アイス』という映画がつくられたくらいです。

また、ベルリンの壁が崩壊し、東西ドイツが統一されたあとプロに転向し、オリンピックに元プロ選手の出場が可能になった九四年のリレハンメル大会にも出場しました。このとき二十八歳になっていた彼女は、七位に終わったのですが、それでもやっぱり、美しさや優雅さ、その表現力の豊かさで観客を魅了する力において、右に出る者はいませんでした。

先ほどから何度も引きあいに出させていただいている、織田信成君のお母様の織田憲子さんに「私はカタリナ・ヴィットが一番好き」という話をしたら、憲子さんも百パーセント賛同してくださり、信成君にも、技術だけでなく「表現力」を身につけさせたいとおっしゃっていました。

音楽（ヴァイオリンの演奏）はスポーツではありませんから、コンクールでない限り一位二位といった順位もつきませんし、技術点や芸術点といった点数もつきません（かつてはオリンピックにも芸術競技というものがあって、絵画や彫刻、音楽の作曲や演奏の優劣が競われ、金銀銅のメダルが授与されたそうですが、芸術は順位をつけるべきものではないという考えから、現在のオリンピックでは、音楽の演奏会や美術の展覧会などが、競技ではない「アート・フェスティバル」として催されているそうです）。

ときどき、ヴァイオリンの演奏にも審査員に点数をつけてもらったら、どんな演奏が、どんな点数になるのかな、などと思ったりしますが、やっぱりそんなことはやじ馬的アイデアで、コンサートでの音楽は、人の心を動かすこと、感動していただくことに尽きます。

そのときには、何度もいいますように、たしかに技術も大切で、技術がいいかげんであれば「表現」どころではないのですが、それでも「表現」というものが、きわめて重要になると思います。多くの人々に「インプレッション」を与えるための「エクスプレッション」と、自分を押し出す「プレゼンテーション」。それは、技術を身につけたあとで……というものではないはずです。

やめてしまうのはもったいない

ここで誤解していただきたくないのですが、何もプロになることに比べてアマチュアでいることを低く見ているわけではありません。

ヴァイオリンにかぎらず、ピアノやほかの楽器でも、せっかく子どものときから続けているのに、あるとき、それ以上成長の見込みがないと思うとやめてしまう子ども、やめさせてしまう親が少なくありません。なんと、もったいないことでしょうか。べつにプロを目指すのではなく、また、音楽学校の先生への道を目指すのでもなく、子どもの情操教育のため、音楽を楽しませるため、あるいは、どんな理由にしろ音楽を学ばせ、楽器の練習を続けさせるのは、素晴らしいことです。

受験勉強が忙しくなったからとか、やめる（やめさせる）理由もいろいろあるでしょうけれども、ヴァイオリンやピアノの練習が勉強の妨げになるとは、少なくとも私には思えません。むしろ気分転換にもよいでしょうし、どうしてもいまは受験勉強に集中しなければ（させなければ）というのであれば、その時期が終わったあとに、また始めて、続ければ（続けさせれば）いいと思います。

そして、できれば、ご両親もお子さんの稽古に参加してほしいと思います。

そういうと、私はヴァイオリンを弾けませんから、とか、私はピアノは下手ですから、という声が聞こえてきそうです。そんなことは関係ありません。親が参加できる方法、親として子どもに与えられることは、たくさんあるのです。

親が稽古に参加する方法

たとえば、ヴァイオリンを例に話させていただきますと、子どもが手にする教則本というものがあります。有名なのは『鈴木バイオリン教本』ですが、最近は『新しいバイオリン教本』と呼ばれている白い表紙の本もポピュラーになっています。これらの教則本の最初のほうには、『アマリリス』とか『こぎつね』とか『釣鐘草《つりがねそう》』といったやさしい曲があります。

子どもたちがそういう曲を練習するとき、先生は、指をここに置いて、次はここ、弓はこう動かして……と教えてくださり、子どもは、ドレミファの音符をおぼえ、徐々にヴァイオリンが弾けるようになっていくのです。が、そのとき、子どもは、どんな気持ちでヴァイオリンを弾いているのでしょう？　どんな気持ちで『アマリリス』や『釣鐘草』を演奏しているのでしょう？

さあ、お母様（お父様）の出番です。指の押さえ方などの技術的なことは、先生に教われればいい。でも、アマリリスや釣鐘草という草花が、どんな姿かたちをした草花かということを、ぜひともお母様がお子さんに教えていただきたいと思います。

近くの散歩道にアマリリスや釣鐘草があればいいのですが、それは難しいことでしょうから、植物園で見せてもいいでしょうし、写真でもイラストでも、あるいは想像して絵に描いたらもっといい。そして子どもに向かって「アマリリスって、こんな花なんだ」「釣鐘草って、こんな花を咲かせるんだね」と話してほしいのです。

釣鐘草は、小さく可憐《かれん》な花で、名前のとおり釣り鐘のような形をしているのですが、なぜか横向きか上向きに花を咲かせます。本物の釣り鐘のように静かに下を向いてぶらさがって咲くわけではありません。その釣鐘草の花の姿、茎の姿、葉の姿を、お子さんに見せることならできますよね。

また、『釣鐘草』という曲はスコットランド民謡です。『アマリリス』はフランスの音楽です。だったら、スコットランドやフランスの田園の風景の写真や映像も、お子さんに見せてください。最近では、「こぎつね」を知らない子どもも多いでしょう。「こぎつねこんこん、山のなか……」という歌詞も、どんな山のなかなのか、日本の山のなかがテレビに映ったりしたときには、「いま、ヴァイオリンで稽古してるこぎつねの出る山って、こんな山かな……」と話し合ってほしい。

現代の子どもたちは自然に触れる機会がどんどん減っていますが、さいわいというべきか、テレビやビデオ、インターネットなどで映像を見つけることは簡単ですから、ただヴァイオリンを練習するというのではなく、そういうヴィジュアルの情報をいっしょに見て、会話をすることで、お子さんの感情とか情緒とか想像力というものを、刺激してほしいと思います。これこそ、親と子のコミュニケーションを密接なものにする、かけがえのない機会になることが、後になっておわかりになるでしょう。

子どもと一緒に勉強しましょう

日本で、現在私たちが音楽と呼んでいるものは、ほとんどが西ヨーロッパを中心とする西洋で生まれた西洋音楽です。邦楽といわれる伝統音楽以上に、私たちは西洋音楽に囲まれて生活しています。

でも、ヨーロッパを中心とした西洋と、東洋の日本とでは、自然環境も全然違えば、そこから生まれた生活環境も大きく異なっています。西洋音楽とは、そんな異なる環境のなかから生まれた音楽であることを、忘れてはならないと思います。

たとえば、クラシック音楽のファンの方なら（それ以外の方でも）、ヴィヴァルディの『四季』という音楽はよくご存じでしょう。その音楽で描かれている四季は、ヨーロッパの四季です。イタリアの四季です。ヴィヴァルディのつくった楽曲のなかには、農民が秋の収穫を喜んで踊っている光景を描写したような音楽もあります。が、それは、おそらく十八世紀イタリアの農村の風景でしょう。

もちろん、音楽という芸術は、きわめて抽象的なもので、言葉や映像でははっきりと表せないもの、置き換えられないものともいえますから、ヴィヴァルディの『四季』のなかの「秋」はイタリアの秋なんだから、演奏はこうでなければならない、という気は毛頭ありません。でも、イタリアの秋と日本の秋は違うんだ、ということに気づけば、想像力がよりふくらみますし、イタリアの秋ってどんなのだろう？　という探究心も湧いてきます。

昔、私が西洋文化と東洋文化の違いに気をとめたきっかけは、ミレーの『落穂拾《おちぼ》い』という「絵」を見たときのことでした。いまも載せられているのかどうかは知りませんが、その絵は中学校の美術の教科書に、小さな写真で出ていました。そして、名作だと教えられました。でも、どこが名作なのか、まるで理解できない。という以上に、なんのことやら、さっぱりわからなかった。たしかに、ヨーロッパの夏の夕暮れの色合いとかは綺麗なので、それを描くのは難しいことなのかもしれないけれど、いったい絵に描かれている人たちが何をしているのか、まったくわからないので、絵の素晴らしさにまで思いがめぐらなかったのです。

それは、日本にいる中学生程度の年齢の生徒には当然のことで、「落穂」(収穫したあとに落ちている麦や稲の穂)を拾うという生活習慣は、日本にはありませんし、日本の稲刈りは、茎の根元から刈り取って、あとで穂先を脱穀《だっこく》して実だけを取り出しますから、落穂というものが田んぼに残ることはほとんどありません。でも、ミレーの時代(十九世紀)のヨーロッパの麦の収穫は、畑に麦が実っているときに、穂先だけを収穫しましたから、穂に触れてそれがぱらぱらと畑に落ちることが少なくなかった。それを、収穫のあと貧しい暮らしをしている女性たちが拾ったわけです。

そういうことをまったく知らず(教えられず)、これはミレーの名画だ、といわれても、子どもにとっては、「あっそう」でおしまいです。

大人なら当たり前の常識でも、子どもはまだまだ知らないことが多い。いいえ、大人の私たちでも知らないことは多く、知らなくても何の不便も感じないまま、ちょっと知ったかぶりをして過ごしていることだってままあります。

失礼ながら、ミレーの『落穂拾い』は名画であると知っていても、落穂って何なのか、ご存じなかった方もおられると思います。かくいう私も、わからないと思って百科事典やインターネットで知り、ほかにまだまだ知らないこと、わからないことがいっぱいあることも知ったのです。

だから、子どもと一緒に勉強をしましょう、といいたいのです。

子どもの想像力の広がりや探究心を生むきっかけとして、さらに情緒的な感情が豊かになる刺激として、『アマリリス』や『釣鐘草』の稽古のときから、お子さんと学習を分かち合ってほしいのです。

「アンダンテで走ってるね」

似たような話をどこかで読んだな、とお思いになった方がおられるでしょう。これは、みどりがアメリカでヴァイオリンを教わったドロシー・ディレイ先生が、「モーツァルトの時代は、どんな服を着ていたの?」とおっしゃったのを、私なりにアレンジしたものです。

たとえ、『アマリリス』や『釣鐘草』や『こぎつね』を弾きはじめたばかりの子どもでも、弾けるようになるという点だけにとらわれないで、「表現したい」と思う情感を、幼いうちから育ててほしいと思います。いいえ、心の襞《ひだ》がまだ柔らかい幼い子どものうちにこそ、そういう情感を養ってほしいのです。

そういう表現を意識すると、ヴァイオリンの稽古をするうえで少しは楽しくなるでしょう。もっとも、その結果、コンクールに落ちてしまったといわれても、私には責任はありませんよ。でも、きっと情感豊かな優しい人間には育ってくれると思います。

もう少し子どもが成長し、練習のマテリアル（素材）が複雑になってくると、今度は外国語が頻繁《ひんぱん》に出てきます。フォルテやピアノのほかに、アンダンテやアレグロやプレスト、さらに、エスプレッシーヴォとかマエストーソ……などなどです。

みどりが、そういう言葉と接するようになったときは、意識して、そういうイタリア語の音楽用語を、日常会話にも用いるようにしました。

朝、ベッドから出たばかりで眠たそうにして、なかなか顔を洗おうとしないときには、「プレスト！ プレスト！（速く！ 急いで！）」とか、外を一緒に歩いていて、ゆっくり走っている自転車なんかを見かけたときは、「アンダンテで走ってるね」といった具合です。

そんな言葉をわざわざ使う必要もないのでしょうが、子どもが何かに（ヴァイオリンに）一生懸命取り組んでいるのですから、私は、親が（とりわけ母親が）子どもに合わせるのが当然だと思っています。

「過保護」と「甘やかすこと」は違う

日常生活のなかでも、子どもに合わせられることは、合わせる。

こんなふうにいうと、過保護ではないか、という人が必ずいます。また、この本をここまで読まれた方のなかにも、私のみどりや龍への接し方を、過保護だと感じられた方もおられるでしょう。

でも、過保護のどこが悪いんや？　と私はいいたい。子どもとは、そもそも弱いものです。身体的にも弱い。精神的にも弱い。世の中のことも知らないことが多いから、社会的にも弱い。そんな子どもを保護できるのは、親以外にありません。どこまでも保護しないと、少しでも保護を怠《おこた》ったら、子どもは傷ついてしまいます。親が保護しないで、どうやって成長するのでしょう。どうして強くもなれるでしょうか。

ですから、親が子どもをどんなに保護しても、保護しすぎるということはない。世界一大切な存在なのですから。それに、そもそも過保護という言葉自体が、ちょっとおかしい。言葉の意味が間違ってつかわれているように思います。

世の中では「過保護」という言葉が否定的に用いられますが、そのときは必ず、子どもを「甘やかしている」という意味がともないます。しかし、「過保護」と「甘やかすこと」では、意味が全然違います。

また、親（とくに母親）と子どもが濃密な関係にあると、他人の目には過保護と映ることも多いようです。が、親子の関係は、どんなに濃密でも濃密すぎることはない、と私は思っています。

子育ての方法を書いた本を読んだり、子育てについて語っておられる方のお話を聞いたりすると、子どもはできるだけ早く突き放して自立心を持たせたほうがいい、とおっしゃる方もおられれば、思い切り抱きしめてできるだけ長く一緒に生活する時間をとったほうがいい、とおっしゃる方もおられます。また、子どもには子どもの好きなことをさせるべきだ、といわれる方もおられます。

意見はさまざまです。赤ん坊はあおむけに寝かせたほうがいい、いや、うつぶせに寝かせたほうがいいと、寝かせ方が時代によって変化したように、どの「説」がいいのかという討論会が開かれれば、この「説」のほうがあの「説」よりも優れている、といった確かな結論は出そうにありません。

しかし、結論が出ないというのは、前提として大きな誤解があるからではないでしょうか。それは、親の過保護、親子の濃密な関係が、子どもの「甘え」、親の「甘やかし」につながる、という誤解です。そして、そういう誤解が生まれるのは、実際の「子育て」が、「子育て」という抽象的な言葉に置き換えられて語られるからだと思います。

「過保護なくして親離れはない」

「子育てをする」という言葉は、ごく当たり前につかわれていますが、とても抽象的で、じつはその言葉のなかに具体的な実際の「子育て」というものは存在していません。実際の「子育て」というのは、おしめを取り換えることであり、身体を洗うことであり、食事を食べさせることであり、服を着替えさせることであり、服を洗濯することであり、眠れない子どもを寝かしつけることであり……、少し大きくなれば、一緒に遊ぶことであり、一緒に勉強すること……などなどです。

子どものために何かをし、何かを子どもと一緒にする、それが「子育て」です。私の場合は、そのなかにヴァイオリンの稽古というものも存在したのですから、ふつうのお母様方にくらべて、子どもと接触する時間は多かったと思います。その結果、親と子の関係がより濃密なものになったとも思います。でも、そこに「甘え」

など入る余地のないことは、ここまでこの本を読んでくださった方には、ご理解いただけると思います。

具体的な実際の「子育て」では、その具体的なひとつひとつのことがうまくいくかどうか、ということがすべてです。どんなに忙しくても、着替えの服は洗濯しなければならないのです。どんなに疲れていても、ヴァイオリンの稽古をサボろうとしたら、叱らなければならないのです。

それでも、私と子どもたちの関係を、悪い意味で「過保護」と表現される方が少なくないようで、まあ、そういうことは、みどりがデビューしたときに「サル真似」といわれたことと同じで、放っておけばいいのでしょうが、そんなときに、ふと一冊の本が目に入りました。それは、元文化庁長官の河合隼雄先生のお書きになった、『過保護なくして親離れはない』(五月書房)という本でした。

そのタイトルを見たとたん、これは私の本のタイトルだ――、と思ってしまったくらいでした。心理学者でもある河合先生も、やはり親子の関係は「過保護」なくらいに濃密でなければ子どもはきちんと育たない、ということを書かれています。

ですから、お母様方は（もちろんお父様も）、子どもが一生懸命取り組んでいることに、まわりから「過保護だ」といわれるほど、つきあってほしい。子どもよりも大人のほうが当然たくさんのことを知っていて、調べる方法も知っているわけですから、そういうものをどんどん与え、どんどん一緒に学び、どんなときでも、どんなことでも、子どもと一緒に歩んでほしいと思います。

第５章
お母さん、自信を持って！

2006年６月、龍のジャパン・ツアーで　撮影：小田哲明

親に対するいじめ？

みどりと龍という自分の子どもたちの、ほめられることといえば心がやさしいことくらいしかない、ということを第3章で吐露《とろ》してしまいました。ほんとうにそれくらいしかなく、もう少し毎日をきちんと生活できないものかと不満だらけで、いつもは小言ばかり口にしています。

最近も、大学に入学の決まった龍が、いつまで経っても高校の最後のレポートを提出しないので、「早くしないと卒業でけんようなるよ」といったら、「そんなに早くこの家から追い出したいか」というので、「ああ、あんたなんか、早よう出て行ってほしいわ」といいかえしました。どこのご家庭でも見られる日常です。

どんな子どもにも、いわゆる反抗期というものがあります。親から精神的に離れるときに生じる親との葛藤《かっとう》、自分の心のなかでの葛藤、それが起こる時期です。いわゆる、思春期の反抗です。子どもによって、それが激しく表面に出る場合もあれば、比較的おだやかにすむ場合もあり、家庭によってさまざまでしょうが、必ずその時期は訪れます。訪れないケースは皆無でしょう。

ふつうなら十六歳から十八歳、早い子どもだと、十二歳から十三、四歳で、そういう精神的に不安定な時期が始まります。

親に対して口ごたえするようになり、あるいは話さなくなり、反抗的になる。龍の場合は、中学生から高校生になるころにそんな時期が訪れ、つまらないことで口ごたえをしたり、私のいうことをきかなかったりするようになりました。

それに対して私も、子どもの勝手な屁理屈にいいくるめられるのは納得できませんから、さんざんいいかえしました。これは子どもに対する親の反抗期か、と自分でも思うほど、やいのやいのと口論の応酬の毎日でした。

こんなつまらんことで何をいいあらそわんとあかんのか、と心のなかで思いながらも、龍の屁理屈につきあいました。これは親に対するいじめか、と思ったこともありましたが、自分の子どもなんやから親はいくらいじめられてもしかたない、よそ様のお子さんに向かって不満を爆発させたり、いじめといわれるようなことをするくらいなら、せいぜい私をいじめろ、と思って龍のフラストレーションの発散につきあいました。

そのうち、龍も精神的に落ち着いてきたのか、日常的な馬鹿馬鹿しい口論がなくなったわけではありませんが、私の話にむやみやたらにいいかえすのではなく、耳を傾けるようにもなりました。

予想外の病気

みどりの場合は、特殊な事情といえばいいのか、十歳で私と一緒にニューヨークへ渡って、親子とも互いに離れられない状態というか、頼れる人がほかにまったくいないという状況で、話し相手が母親のほかに一人もいない、という状態が長く続きました。

ですから、誰にも訪れる反抗期というか、自立心が芽生えて子ども時代の親子関係から成長した親子関係へと脱却する時期が遅れてしまい、二十二、三歳になって、それが現れました。しかも、そういう時期が遅くなったせいなのか、あるいは私が厳しく接しすぎたせいなのか、原因は医学的にも心理学的にも特定できないと思うのですが、鬱病《うつびょう》と拒食症という病気の発症をともないました。

病院へ行くまでは、病名もわからず、みどりの様子がいつもとどこか違っているという日々が続きました。ヒステリックなまでに反抗的になったり、何もいわずに黙りつづけたり、食事もとらなかったり……。

もちろん、私もそうとうに悩みました。そのころには、龍も生まれていましたから、龍への影響も考えたり、いや、それどころではなく、みどり自身を何とかしなければ、と考え込んでしまったり……。

医者から鬱病と拒食症という診断を受けたときの驚きは、いまも忘れられません。まったく予想外の病気でしたから。まさか、そんな病気にかかるとは。ですから、私のショックも大きかったのですが、一方で、みどりの様子や態度が病気であるとわかり、その病気がどのような症状なのかということもわかった時点で、少しほっとしました。病気だとわかれば、医者もいて、処方箋《しょほうせん》もあるわけですから。

もちろん、そんなふうに思えるようになるまでには、私自身も苦しみ、悩みました。それより反省の繰り返しでした。私は母親として、みどりの気持ちをいちばんよくわかっているんだと、思いあがってもいたのです。お医者さんなんかに連れて行かなくても、私自身がよくわかってる、みどりの気持ちは、お医者さんなんかより私のほうがよく知っている、と。

共通点はやっぱり音楽

一方、みどり自身も、母親である私のことをよくわかっている、すべてを知っている、誰よりもいちばんよく理解している、と思っていたのでしょう。何しろ、ほかに話し相手がまったくいないような状態が長く続いていたわけですから。ところが、その母親の気持ちをほんとうにわかってるんだろうか、と疑問が湧き、この人はいったい何を考えてるんだろう、と疑いを持ちはじめて、心のなかで解決がつかなくなったのでしょう。

これが原因だったか、いや、あれが原因か、あれもこれも原因ではないかと頭をめぐらせ、結局、私が原因だということに行きつきました。

その間、すごく苦しかったとき、つまり、それまでわかっていると思えていたみどりの気持ちが、すっかりわからなくなってしまったとき、私は、ひとつのことを考えつづけました。それは、私とみどりのあいだに存在する共通点は何か、ということでした。子どもの気持ちがわからなくなったのですから、何か自分と共通しているものを見つけて、その共通しているものから気持ちをたぐり寄せるほかない、と。

そうして、考えに考えた結果、最後に残ったものというか、たったひとつの大きな共通点として確認できたのが、やっぱり音楽だったのです。ヴァイオリンだったのです。

もちろん、正反対のことも考えました。ヴァイオリンが、みどりの病気の原因となったのかもしれない、と。そういう気持ちもなかなか消し去ることはできませんでした。しかし、ヴァイオリンや音楽の練習を厳しく続けた人は、鬱病や拒食症につながるとか、そうなる可能性が高い、などという理屈は成立しません。もちろん、鬱病や拒食症は、ヴァイオリンや音楽と無縁な人にも数多く発症しています。

原因は、私にあった、私たちの生活にあった、少なからず環境にもあったのでしよう。特定はできないけれど、たしかにいろいろ考えられる。でも、ヴァイオリンそのもの、音楽そのものが原因ということは絶対にありえない。そして、私とみどりのあいだには、共通点として、ヴァイオリンが存在している、音楽が存在している、ということを再確認できたのです。

たしかにママはずるかった

みどりも、そのことを、わかってくれました。

高校生のころ、みどりがヴァイオリンの練習に意欲が見られなかったとき、「そんなにやりたくないんやったら、やめてもいいよ」と、何度かいったことがありました。その都度《つど》みどりは、「やる」と主張したので、のちにまた同じようにやる気のないそぶりを見せたときは、「あんたが自分でやるといったんやで。ヴァイオリンを続けるというたんは、あんたのほうやで」といいつづけました。

それは、ある意味でみどりの心を縛っていました。みどり自身も、「いいだしたのは、私のほう」で、それは疑いようのない事実なのだと納得しなければしかたなかったのだけれど、百パーセント納得できていたわけではなかったでしょう。

もちろん私も、「やめてもいいよ」と口ではいいながらも、やめないのはわかっていました。だからといって、その言葉が嘘だったのではなく、ほんとうにやめたいのであれば、それもしかたのないことだとも思っていました。でも、やめたあと何をするかとなると、それまでやってきたヴァイオリンとくらべてみれば、新しいことのほうがずっと困難をともなうはずで、そのことにぼんやりとでも気づけばやめるはずはない、と確信してもいました。

ですから、みどりはヴァイオリンをやめなかった。

病気からの回復のきざしが見えてきたころ、彼女は、「ママは、私がヴァイオリンをやめないとわかっていて、やめてもいいよ、なんていうのだからずるい」と笑いながらいうようになりました。そこまでいわれたら、私も、苦笑いするしかありません。そのとおりなんですから。たしかに、ママはずるかったのですから。

そんなずるいママに、ようついてきてくれたなあと、この気持ちは口には出さず、「あんたかって、やめそうなそぶりを見せて。ほんまはやめる気もなかったくせに、やめるだけの根性もなかったくせに……」と、笑いながらいいかえすだけでした。

こんなふうに、本音の言葉が飛び交うようになれば、親と子のコミュニケーションも安全圏に入ってきたように思えました。口にした言葉はけっして本音だけでもないのですが、その言葉から、お互いの本音のエッセンスが心に響くようになれば、それでいいと思います。そして、みどりとそんな会話が復活するようになったのも、やっぱりヴァイオリン、音楽という共通点が、二人のあいだに存在していたからでしょう。

みどりとのあいだに、そういう大きな問題が生じたのと相前後《あい》して、三歳くらいになった龍も、ヴァイオリンをやりたい、といいだしました。そのとき私が、何のためらいもなくヴァイオリンをやらせようと思ったのは、みどりに教えはじめたときとはまったく違う理由からでした。

龍が大きくなって思春期を迎えれば、必ず反抗期が訪れる。そのときは私に反発してくる。そのときは、男の子のほうが強烈かもしれない。ヴァイオリンをしようがしまいが、そういう時期は必ず訪れる。それをどう乗り切ったらいいのかと考えたとき、やっぱり親子のあいだに共通したものがあったほうがいい。そう考えたわけです。

そしてもうひとつの理由はこういうことでした。親は子どもより先にこの世からいなくなる。そのとき、この二人の姉弟のあいだには、同じ道を歩む者どうしが理解し合うことで強い絆《きずな》が生まれ、その絆が存続するに違いない、と確信したからです。

親子ともども「しゃべりの天才」

どの子にも必ず訪れ、どこの家庭にも生じる、子どもの反抗期という問題が、いま社会的に騒がれている「いじめ」や親子の断絶や家庭崩壊といった問題と、どれほどつながりのあるものか、私にははっきりとはわかりません。が、似たようなところもあるのではないかという気もします。

そのときに、親子のあいだで共通したものを……というのは、第1章でお話ししたとおりですが、もうひとつ、とにかく親子で互いに「しゃべる」というコミュニケーションも、基本的に欠かせないことだと思います。

親子で話し合いを……とか、親子の会話を……ということなんですが、私には、そんなスマートなことはいえません。というのは、わが家は全員、関西弁でいうところの「しゃべり」ばっかりで、食事のときなど、うるさいを通り越して、やかましいほどです。

私の知人の関西出身の方も、三人おられるお子さんが全員やかましいほどに「しゃべり」ばかりで、食事のときなど、「はい、はい」と手をあげて身を乗り出さないとしゃべるチャンスがまわってこないほどだと笑っておられました。わが家も同じです。学校であったこと、テストのこと、最近観た映画のこと、友だちとのこと……なんでもかんでも、しゃべりまくります（音楽の話は、食事のときなどは、滅多にしません。音楽関係のゴシップはあっても）。

親子の会話とか、家庭会議というような、いってみれば綺麗事ではなく、とにかくしゃべる、とにかく話をする。これは、けっして悪いことではないと思います。

みどりも龍も、ほめられる点はやさしさだけといいましたが、「しゃべり」だということも、まあ、積極的にほめられることなのかどうかはともかく、悪いことではないと思っています。二人とも、「ヴァイオリンの天才」などとは思ったことはありませんが、「しゃべりの天才」であることは確かです。

ちなみに、いま紹介した方のご家庭と私の家庭のあいだには、ふたつの共通点があります。ひとつは、親もかなりのしゃべり好きだということ。それが子どもにもうつったのでしょう。それと、もうひとつは、ダイニングにテレビがないことです。わが家のダイニングには、画面だけのモニターがあって、DVDやビデオで映画を観ながら食事をすることはありますが、テレビは映りません。その作家の方も、映画を観ながら食事をするときは、料理や飲み物をリビングルームに移すそうです。

テレビを見ながらの食事がいけないと断じる気はないのですが、テレビがついていると情報に対して受け身になってしまって、会話が少なくなるように思えます。映画なら積極的に観ますから、感想などの言葉も飛び出します。もっとも、龍が、一時『壬生《みぶ》義士伝』ばっかり繰り返し観て、台詞《せりふ》までほとんどおぼえているくせに、食事のたびにそれを観たい、と何度も言いだしたことがあったのには、うんざりさせられましたが……。

子どもはみんな「知りたがり」

こうしてお話ししていて、うちの子どもが「しゃべりの天才」というほかに、もうひとつ「天才」と呼べることがあるのを思い出しました。それは、「知りたがりの天才」ということです。

これもまた関西弁で恐縮ですが、そうでないといいあらわせないので、ご了承ください。「好奇心」といえば、どちらかというと良い意味で用いられることが多く、旺盛《おうせい》な好奇心は、仕事ができるとか、素晴らしい成果につながるイメージがあります。が、みどりと龍の「知りたがり」というのは、そのたぐいのものではありません。

とくに龍は、どんなことでも知りたがる。どんなつまらないことでも見たがる。

目の前にタンスがあれば、その後ろに何か落ちてないか見たがる。そういう「知りたがり」です。コンサートで楽屋へ入って、壁に絵が掛けてあったら、絵を少し持ち上げて、その後ろを覗いている。それに毒されたのか、最近は私までが「知りたがり」になりつつあります。

まったく呆れるほどですが、とくにうちの子どもたちだけというわけでなく、子どもというのは、みんなそういう「知りたがり」のところがあるように思います。子どもはみんな、どんなことでも、見たがるし、知りたがる。

そうなると、親として、目の前に何を投げるか（表現は悪いですが）ということに、気をつけなければならない。とはいっても、親が子どもの目の前に投げられるものというのは、親の知っているもの、親の体験したものしかありません。それには限度があります。が、私はそれでいいと思っています。祖父母から聞いた話、親の観た映画、親の読んだ本……。

アメリカでは、名作といわれた過去の映画鑑賞を学校の授業でします。ですから龍は、『ベン・ハー』や『風と共に去りぬ』や『ウエスト・サイド物語』なども観ています。みどりも龍も、ビートルズありシナトラあり、いろんな音楽を聴いて育ちました。どちらも、何とはなしに私の投げかけた音楽です。というか、そういうところは、私はちょっと意識しました。

「過去」を子どもに投げかける

流行の移り変わりは激しく、最近は親の世代が、現在の流行に、なかなかついていくことができません。

でも、現在の流行というのは、過去の流れのなかから出てきたものです。現在の流行をただ受け入れて楽しもうとするだけならそれでもいいのですが、子どもがいずれ、何かを表現する側に立つ、情報を発信する側になるとするなら、それだけでは不十分だと思います。現代を生み出した過去の流れも知っておいたほうが、間違いなく有利です。

そのためには、現在の流行は放っておいても子どもの目や耳に入ってくるのですから、子どもの目や耳に入ってきにくいものを与える必要があります。

いま、龍は、エレキギターもやったりしていて、私が名前も知らないパンク・ロックだか、プログレッシヴだか、わけのわからない（と私はいってしまいますが）ロックバンドに熱をあげたりもしています。が、やっぱりビートルズを知っていてよかった、と本人もいっています。

また、べつに子どもが表現する側や、情報を発信する側に立たなくても、「過去」を知っているほうが、現在の流行をより豊かに楽しめると思います。さらに、現在流行しているもののなかから、未来にも残るようなものを、少しでも見極める力も養われるように思います。

ですから、お母さん（と、お父さん）の出番になるのです。

過去に素晴らしいと評判を得たもの、自分が若いころに見たり聴いたりして大感激したものは、自信を持って子どもたちに投げかけていいのではないでしょうか。いや、積極的に、そうするべきでしょう。なにも、舌がまわらなくて困るような歌を無理にカラオケで一生懸命練習しなくても、子どもと音楽の話をするときは、ビートルズの素晴らしさを語り、聴かせ、自分の趣味を押しつけてみるのも、子どものためになると思います。

子育てに自信を失っている方へ

みどりも三十歳を過ぎてロサンジェルスのUSC（南カリフォルニア大学）で教鞭をとるようにもなり、龍も大学生になってボストンで暮らしはじめ、私も日本でヴァイオリンの指導を始めることになり、私たち親子の関係も、新しい段階にはいると思います。

でも、どれだけ離れていようと、親は親です。子どもは子どもです。できることはしたいと思いますし、二人にプラスになると思うことは何が何でもしたいと思っています。それがけっして甘やかしなどでないことは、この本をここまで読んでくださった方には、ご理解いただけると思います。

以前ほどには自分の子どもたちと濃密な時間を共有することもなくなり、自分の子どもではないお子さん方と多く接するようになって、ひとつ気になることがあります。

それは、子どもにヴァイオリンを習わせているお母さん方から多くの相談をいただいたなかで気づいたことなのですが、多くのお母さん方（や、お父さん方）が、子育てに対して、自信を失っているということでした。

子どもを、どのように育てていいのか迷っておられる。悩んでおられる。戸惑っておられる。どうすればいいのか、苦しんでおられる。

具体的には、ヴァイオリンの先生との問題であったり、受験との兼ね合いの問題であったり、子どもの性格の問題であったり、それこそ千差万別ですが、私がみなさんにいいたいのは、「お母さん、お父さん、自信を持って下さい！」ということです。

私自身は、みどりの気持ちは私がいちばんよく知っている、と少なからず思いあがった気持ちになったりして、失敗の経験は豊富です。でも、真剣に子を思って実行した失敗は、やり直すことができます。それに、失敗のない人生なんて、ありえないでしょう。

先ほど、みどりの病気について触れたときに、どんなに偉いお医者様より、私のほうがみどりのことを理解している、と「思いあがっていた」ことを反省した、とお話ししましたが、それは「思いあがっていた」のを反省したのであって、誰よりもみどりのことをよく知っているのは、やはり母親である私であると自負しています。

私は、鬱病や拒食症については知りませんでした。みどりがそういう病気になるとは想像もできませんでした。でも、どんなに偉いお医者様でも、みどりを診察室の椅子に座らせ、その様子を見ただけで、病名をいいあてることはできません。前の日に何を食べたのか、この一週間の食事はどのようなものだったのか、何時に起きて何時に寝る生活をしているのか、どんな会話を交わしていたのか……などなど、お医者様も、子どもの様子を知らなければ、なんの判断も下せません。そして、それらのすべてを知っているのは、母親なのです。

子どもの調子が悪くなったときに、それが単なる風邪のせいなのか、インフルエンザなのか、またはほかの病気なのか、その判定を下すことはできませんが、子どもの調子が悪いのか、いいのか、それがいちばんよくわかるのは、母親です。

ですから、失敗をおそれず、もう少し自信を持って判断されてもいいのでは……と思うのです。

お母さんが、あるいはお父さんが、何かで迷っているとか、悩んでいるとか、原因が何であれ、そういうところを子どもが察知してしまうと、子どもの心にかげりが出てきます。自分のしていることにも、不安な気持ちを抱いてしまうようになると思います。

子どものためにどうしたらいいのか、と無理に子どもの側に立って悩むのではなく、自分に（少しは）自信のあること、自分に（少しは）自信のあるやり方で子どもに接する、そのほうが、子どもも自分自身に対して自信を持てるようになっていくのではないでしょうか。

子どもの人生、親の人生——あとがきにかえて

本書を上梓《じょうし》することができましたのは、私の講演会を収録した録音テープや、直接のインタヴューから原稿を書き起こしてくださった音楽ライターでありスポーツライターでもある玉木正之さんと、講談社現代新書出版部の阿佐信一さんのご協力、ご尽力があったからです。また、クリスタル・アーツ社長の佐野光徳さんにも、いつもながらの有意義なアドヴァイスをいただきました。この場をお借りして感謝の意を表させていただきます。

とはいえ、私がいちばん感謝の気持ちを表さなければならないのは、やはり二人の子どもたちかもしれません。

何度も原稿を読み直し、加筆したり、修正したり……。そんな作業のなかで、あらためて気づかされたのは、私は子どもたちに「育てられた」ということでした。

母親として、という以前に、人間としてまったく自分に自信の持てなかった私が、自分自身を叱咤激励《しったげきれい》しながらどうにかこうにかここまで生きてこられたのも、そして、ほかのお母様方（や、お父様方）に向かって、「もっと自信を持ちましょう」といえるまでに成長できたのも、二人の子どもが私を「育ててくれたから」だと、いやがおうでも気づかざるをえません。そして、私の「子育て論」は、つまるところ「子どもに育てられ論」だと、ひとりで苦笑いしてしまいました。

USC（南カリフォルニア大学）で、かつて教鞭をとっていた大ヴァイオリニストであるヤッシャ・ハイフェッツを記念した「ハイフェッツ・チェア」というポジションに就いたみどりは、そこでヴァイオリン指導者としての活動を始めるとともに、今後もコンサート・ヴァイオリニストとして活動する一方で、日本やアメリカの小学校などで「Midori & Friends」（みどり教育財団ニューヨーク http://www.midoriandfriends.org）やNPO「ミュージック・シェアリング」(http://www.musicsharing.jp/) としての社会福祉活動も続けていくことでしょう。

十五年前、みどりが「教育財団」を設立して子どもたちのために演奏会をしたい、といいだしたときは、何を若いくせに、エラソウに……などと思ったものでした。が、学校の体育館や病院の小さなスペースで、子どもたちの間近でヴァイオリンを演奏するという活動は、何よりも子どもたちに音楽の素晴らしさをじかに伝えるという意味で、大きく実を結んでいるように思います。

母親として、これからのみどりに期待することといえば、一日も早く良き伴侶《はんりょ》が現れることなのですが、面と向かってそれをいうと、「過剰な期待はしないことよ」と一蹴されそうで……。まあ、胸のうちにしまっておきます。

昨年の九月からハーヴァード大学に入学した龍は、まだ一般教養の段階なので、この先どんな道へ進み出すのかわかりませんが、ともあれボストンでの学生生活を謳歌していることでしょう。

龍に向かっては、感謝の気持ちなど口にする気になれませんので、まぁ、勝手にせい、という言葉とともに、コンサートのときは、いちばん最初の聴衆として、演奏をチェックするぜ！　といっておきます。覚悟していなさいよ。

私自身は、今後はできるだけ日本に滞在し、「音楽道場」(http://www.gotosetsu.

jp/）という場で、子どもたちにヴァイオリンを指導したり、子どもたちを教える指導者の育成に携わっていきたいと考えています。

はてさて、一冊の本にまとめたからといって、これで私の「子育て」が終わるわけでもなければ、区切りがつくわけでもありません。ただ、二人の子どもたちが、とりあえずは健康で、親子のコミュニケーションもとることができ、そのことに満足できる今日を迎えられている幸せを感じています。

とはいえ、明日がどうなるかはわかりません。明日になれば、嵐が訪れるのか、暗闇になるのか、未来のことは誰にもわかりません。でも、嵐は、いつかは過ぎるものですし、朝の来ない夜もないわけです。

ですから、全国のお母さん！　これからも子どもたちと一緒に、大きく成長しつづけようではありませんか。

二〇〇七年四月

五嶋　節

講談社現代新書 1890

「天才《てんさい》」の育《そだ》て方《かた》

二〇〇七年五月二〇日第一刷発行　二〇二三年八月二日第九刷発行

著者　五嶋《ごとう》　節《せつ》

発行者　鈴木章一
発行所　株式会社講談社
東京都文京区音羽二丁目一二―二一　郵便番号一一二―八〇〇一
電話　〇三―五三九五―三五二一　編集（現代新書）
〇三―五三九五―四四一五　販売
〇三―五三九五―三六一五　業務
装幀者　中島英樹／中島デザイン
印刷所　株式会社ＫＰＳプロダクツ
製本所　株式会社ＫＰＳプロダクツ

定価はカバーに表示してあります　Printed in Japan

N.D.C.370　200p　18cm
ISBN978-4-06-149890-7

「講談社現代新書」の刊行にあたって

教養は万人が身をもって養い創造すべきものであって、一部の専門家の占有物として、ただ一方的に人々の手もとに配布され伝達されうるものではありません。

しかし、不幸にしてわが国の現状では、教養の重要な養いとなるべき書物は、ほとんど講壇からの天下りや単なる解説に終始し、知識技術を真剣に希求する青少年・学生・一般民衆の根本的な疑問や興味は、けっして十分に答えられ、解きほぐされ、手引きされることがありません。万人の内奥から発した真正の教養への芽ばえが、こうして放置され、むなしく滅びさる運命にゆだねられているのです。

このことは、中・高校だけで教育をおわる人々の成長をはばんでいるだけでなく、大学に進んだり、インテリと目されたりする人々の精神力の健康さえもむしばみ、わが国の文化の実質をまことに脆弱なものにしています。単なる博識以上の根強い思索力・判断力、および確かな技術にささえられた教養を必要とする日本の将来にとって、これは真剣に憂慮されなければならない事態であるといわなければなりません。

わたしたちの「講談社現代新書」は、この事態の克服を意図して計画されたものです。これによってわたしたちは、講壇からの天下りでもなく、単なる解説書でもない、もっぱら万人の魂に生ずる初発的かつ根本的な問題をとらえ、掘り起こし、手引きし、しかも最新の知識への展望を万人に確立させる書物を、新しく世の中に送り出したいと念願しています。

わたしたちは、創業以来民衆を対象とする啓蒙の仕事に専心してきた講談社にとって、これこそもっともふさわしい課題であり、伝統ある出版社としての義務でもあると考えているのです。

一九六四年四月　野間省一

世界の言語・文化・地理

自然科学・医学

15 数学の考え方――矢野健太郎
1126 「気」で観る人体――池上正治
1138 オスとメス＝性の不思議――長谷川真理子
1141 安楽死と尊厳死――保阪正康
1328 「複雑系」とは何か――吉永良正
1343 カンブリア紀の怪物たち――サイモン・コンウェイ・モリス 松井孝典 監訳
1349 〈性〉のミステリー――伏見憲明
1427 ヒトはなぜことばを使えるか 山鳥重
1500 科学の現在を問う 村上陽一郎
1511 優生学と人間社会――米本昌平 松原洋子 橳島次郎 市野川容孝
1581 先端医療のルール――橳島次郎
1598 進化論という考えかた 佐倉統

1689 時間の分子生物学――粂和彦
1700 核兵器のしくみ――山田克哉
1706 新しいリハビリテーション 大川弥生
1759 文系のための数学教室――小島寛之
1786 数学的思考法――芳沢光雄
1805 人類進化の700万年 三井誠
1840 算数・数学が得意になる本 芳沢光雄
1860 ゼロからわかるアインシュタインの発見 山田克哉
1861 〈勝負脳〉の鍛え方――林成之
1880 満足死――奥野修司
1881 「生きている」を見つめる医療――中村桂子 山岸敦
1887 物理学者、ゴミと闘う――広瀬立成
1891 生物と無生物のあいだ――福岡伸一

1925 数学でつまずくのはなぜか 小島寛之
1929 脳のなかの身体――宮本省三
2000 世界は分けてもわからない 福岡伸一
2011 カラー版ハッブル望遠鏡宇宙の謎に挑む 野本陽代
2023 ロボットとは何か――石黒浩
2039 ソーシャルブレインズ入門 藤井直敬
2097 〈麻薬〉のすべて――船山信次
2122 量子力学の哲学――森田邦久
2166 化石の分子生物学――更科功
2170 親と子の食物アレルギー――伊藤節子
2191 DNA医学の最先端 大野典也
2193 〈生命〉とは何だろうか 岩崎秀雄
2204 森の力――宮脇昭

心理・精神医学

知的生活のヒント

趣味・芸術・スポーツ

日本語・日本文化

105 タテ社会の人間関係 中根千枝
293 日本人の意識構造――会田雄次
444 出雲神話――松前健
1193 漢字の字源――阿辻哲次
1200 外国語としての日本語――佐々木瑞枝
1239 武士道とエロス――氏家幹人
1262 「世間」とは何か――阿部謹也
1432 江戸の性風俗――氏家幹人
1448 日本人のしつけは衰退したか――広田照幸
1738 大人のための文章教室 清水義範
1943 なぜ日本人は学ばなくなったのか――齋藤孝
2006 「空気」と「世間」――鴻上尚史
2007 落語論――堀井憲一郎
2013 日本語という外国語 荒川洋平
2033 新編 日本語誤用・慣用小辞典 国広哲弥
2034 性的なことば――井上章一 斎藤光 澁谷知美 三橋順子 編
2067 日本料理の贅沢――神田裕行
2088 温泉をよむ――日本温泉文化研究会
2092 新書 沖縄読本――下川裕治 仲村清司 著・編
2126 日本を滅ぼす〈世間の良識〉――森巣博
2127 ラーメンと愛国――速水健朗
2133 つながる読書術――日垣隆
2137 マンガの遺伝子――斎藤宣彦
2173 日本人のための日本語文法入門――原沢伊都夫
2200 漢字雑談――高島俊男